わくわく ほっこり

和菓子図鑑

君野倫子

二見書房

はじめに

お団子、お饅頭、お煎餅、大福、最中…和菓子を目の前にするとワクワクと心踊り、和菓子をいただくとほっこりしませんか？
和菓子の基本や伝統を伝えながら、楽しくて、可愛い和菓子をいっぱい集めた本、そして読んだ人がほっこりして、ちょっと幸せな気持ちになれる本を作りたい。そんな願いがやっと形になりました。

ケーキは自分のために買うのに、和菓子って、なぜか自分のために1個買うことが少なく、贈るもの、贈られるもののイメージが強いと聞いたことがあります。もちろんお遣い物にするのに最適ですが、もっと自分のためだけに買ってきて、小さな幸せを楽しんでもいいのに……と思うのです。

日本のお菓子は外国から伝わり、海外の影響を受けつつも、日本独特の和菓子の世界を作り出してきました。驚くのは、現在も日々発展し続けているということ。そこに和菓子職人さんの技術はもちろん、絶え間ない探求力や努力を感じます。

2年前からロサンゼルスに住むようになり、日本とロサンゼルスを行ったり来たりしています。日本の外に出ると日本のよさを、それはそれはしみじみと感じます。中でも特に恋しく思うのが、日本の四季と和菓子なのです。美しい四季からインスパイアされた色使い、繊細な姿形、上品な味わい。お皿の上でその姿を愛で、菓

名を聞いて膝を打ち、口に運んで舌鼓を打つ。小さなお菓子に日本が詰まっている気がするのです。世界に誇れる日本の食文化だと思います。

和菓子を見て食べて〝ほっこり〟するという感覚は、日本独特のものかもしれません。この感覚は、どこか日本人のＤＮＡにつながっているようにも思います。読者の皆さんが、この本に掲載した数百個の和菓子の可愛らしさ、奥深さを楽しんでくださり、さらにそれぞれの街の和菓子屋さんに足を運んで、自分のために和菓子を買って、本当の〝ほっこり気分〟を味わってくださったら嬉しいです。

この本を作りたいと思い立ってから、こうして皆さんに手に取っていただけるまでに、ぐるっと四季を2周巡りました。その間、私は海外へ引っ越しし、その1年後に東日本大震災があり、撮影が延期になったり、帰国がキャンセルになったり、東北方面の和菓子屋さんの消息がわからず心配したり、いろいろなことがありました。

この本のために、全国の２００店もの和菓子屋さんがご協力くださいました。この場を借りて心よりお礼申し上げます。ありがとうございました。

日本のあちこちの街で、このすばらしい和菓子が絶えることなく、ずっと私たちに幸せを運んでくれますように。

君野倫子

もくじ

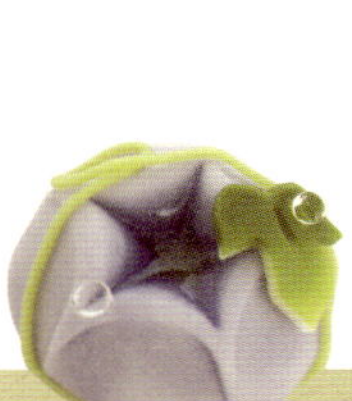

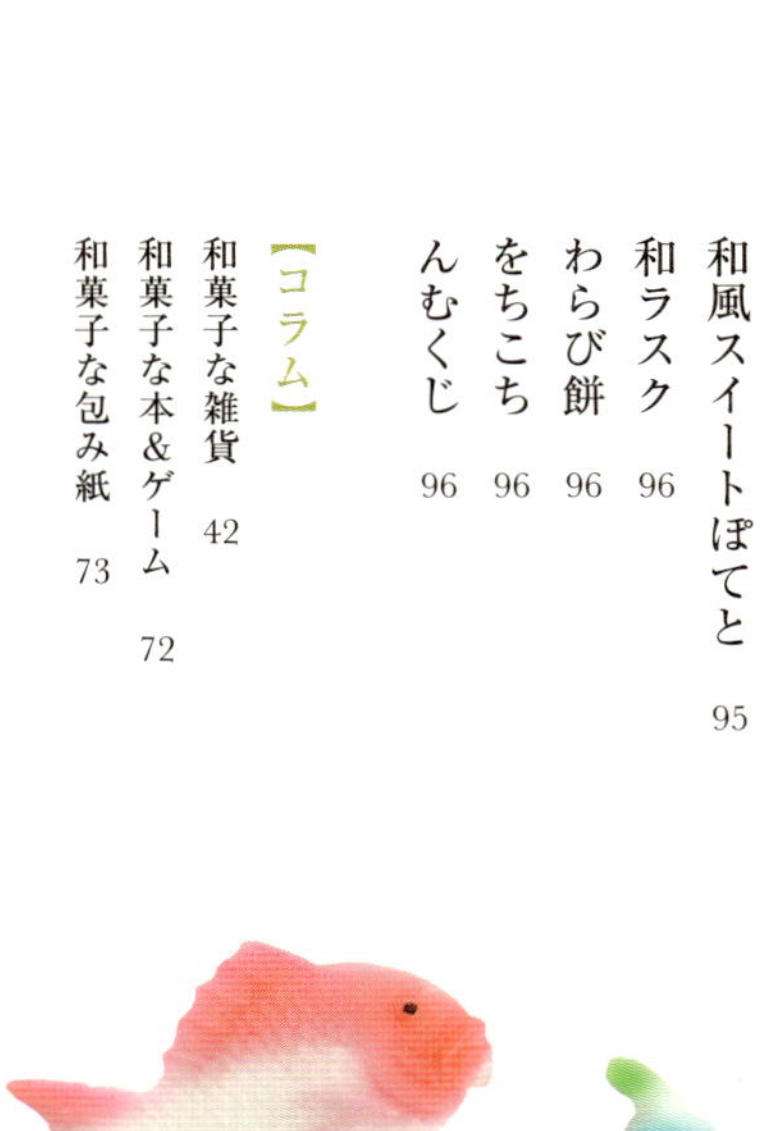

の香
の香
早稲乃香
早稲乃香
早稲乃香

ごゆっくり、
お召し上がりください。

赤福餅
アカフクモチ

伊勢参りに訪れる参拝客のために、餅屋を開いたのが宝永4(1707)年。「赤福」の始まりです。赤福の名は「赤心慶福《せきしんけいふく》」という言葉からきています。真心(赤心)を尽くして、人の幸せを喜ぶ(慶福)こと。

赤福餅は赤福本店で食べることをおススメします。まるで、おばあちゃんの家に遊びに来ている感じ。本店は伊勢神宮のそば、ぜひ立ち寄ってください。

赤福本店。つくりたての赤福餅と香ばしい番茶を、座敷で座っていただけます。

おなじみピンクのパッケージ。なめらかなあんこの甘さが口の中に広がります。

揚げ饅頭
アゲマンジュウ

お饅頭《まんじゅう》をそのまま揚げたり、天ぷらのように衣をつけて揚げたりと、種類や特徴もいろいろ。サクッとした食感と、香ばしい風味が魅力です。

揚まんじゅう：独自ブレンドのサラダ油で揚げてあります。香ばしく、餡はしっとり、重くなくて好き。[御門屋（みかどや）]

朝顔
アサガオ

夏の風物詩の朝顔。花が美しく咲く時季があるように、夏にしか食べられない朝顔の和菓子。朝露をゼリーで表現したり、お店によっていろんな工夫がされていて、真夏のまだ少しひんやりしている朝を思い出させてくれます。

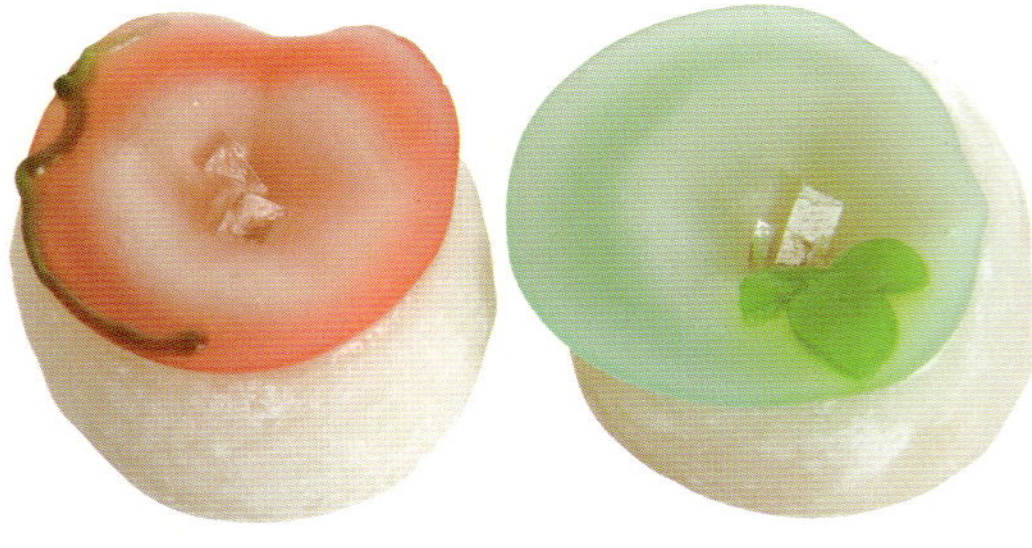

朝顔：朝露を浴びたような美しさ。[勉強堂]

阿闍梨餅《アジャリモチ》

京都の老舗［満月］の看板菓子。丹波大納言小豆のつぶ餡《あん》をしっとりした皮で包んだ半生菓子で、高僧たちが厳しい修行を餅を食べて耐え忍んだことにちなんでいます。モチモチした食感と、あとに引かない甘さです。

阿闍梨は高僧を意味する梵語（ぼんご）。比叡山の修行僧がかぶる網代笠をかたどっています。

あぶり餅《アブリモチ》

京都の今宮《いまみや》神社名物といえば、あぶり餅。平安時代、疫病《えきびょう》や厄除《やくよ》けに参拝した人に振る舞われたといわれ、無病息災を祈ってあぶり餅を食べる風習が今も続いています。竹串に小さなお餅を刺して、きな粉をまぶし、炭火であぶって、白みそだれをたっぷりとくぐらせたお餅の和菓子。素朴な甘さと香ばしさがたまりません。

江戸時代創業で、400年の歴史があります。［かざりや］

今宮神社の参道には、２軒のあぶり餅屋さんが向かい合わせで並んでいます。

なんと長保２（1000）年創業。あぶり餅の歴史は1000年あるのです。［一文字屋和舗］

安倍川餅《アベカワモチ》

静岡名物としてあまりに有名。十返舎一九《じっぺんしゃいっく》の『東海道中膝栗毛』には、安倍川餅の別名「五文《ごもん》どり」として登場しています。徳川家康が名づけ親、徳川吉宗の好物、昭和天皇も静岡駅で購入されたそうです。

安倍川もち：200年前の農家を移築した「登呂もちの家」でいただくと、また格別です。［やまだいち］

甘納豆《アマナットウ》

砂糖漬けにして煮詰め、砂糖をまぶした豆菓子。小豆、うずら豆、金時、いんげん豆、空豆、おたふく豆、虎豆《とらまめ》、うぐいす豆、大福豆と、お豆もよりどりみどり。

甘いだけでなく、素材の味がものをいいます。豆といいつつ、栗、さつま芋、蓮の実もあり、特に大粒の栗甘納豆は、食べるのがもったいない感じさえします。また、カロリーが低いのでダイエットの味方です。

華やぎ：６種類の豆や栗が行儀よく並んでいます。私はよく目上の方へのお土産にします。［銀座鈴屋］

鮎《アユ》

和菓子屋さんの店頭に若鮎が並び始めると、夏の到来を感じます。小麦粉と卵をしっとり焼き上げた生地で求肥《ぎゅうひ》を包んだ、昔ながらの和菓子。地方によっては求肥ではなく、餡やみそ餡のところも。和菓子屋さんによって、大きさや鮎の表情が違うのが楽しいです。

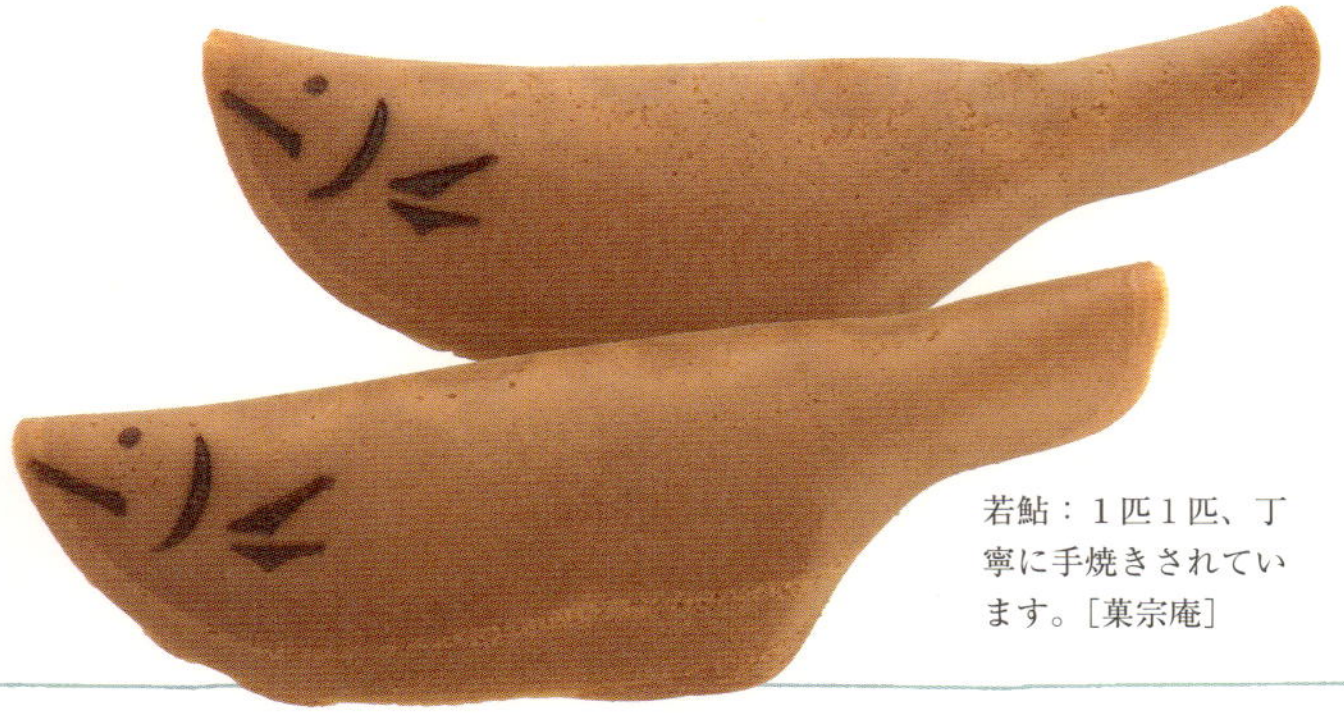

若鮎：１匹１匹、丁寧に手焼きされています。［菓宗庵］

やき鮎：本物の鮎の塩焼きにしか見えません！［大幹堂］

1 糸引き飴フルーツ：懐かしいくじ駄菓子。私の頃の当たりはまが玉型、はずれは円錐型でした。 2 大糸手まり：江戸飴といえばコロンと可愛い手毬飴。 3 ゼリービーンズ：外国生まれでカラフル。 4 親子金太郎飴：怒ったり笑ったり表情豊か。[以上、萬年堂] 5 御所飴おあめさん：京都の飴ちゃん。甘ったるくなく、飴嫌いでも好きになります。[御所飴本舗] 6 千代結び：紅白の縁起物でお正月などにも最適。[甘春堂]

飴《アメ》

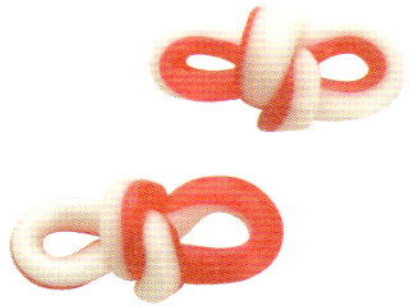

私の生まれた街では、飴のことを「飴ちゃん」と呼びました。子どもの頃、駄菓子屋さんできれいな色の飴を見て、ワクワクしたことを思い出します。そんな親しみをこめて呼ばれる飴ですが、実は日本書記に記述があるほど古くから存在し、神様へのお供え物に使われたり、平安時代には貴族の薬として使われる貴重品でした。江戸時代には、次第に庶民の甘味料として定着していきました。とはいえ飴は、今日も昔も基本の原材料は砂糖と水飴という、シンプルなものです。

あられ《アラレ》

母の実家では、毎年1月中旬に、あられやかき餅を作るためにお餅をつくのが恒例だったそうです。おやつといえば、このあられを煎《い》って食べたそうです。そして私も子どもの頃から、このあられをチンして食べたものです。（レシピはp.108）

1ヶ月半ほど室内で干して作ったそうです。この状態で1年くらい日持ちします。

レンジでチン、または油で揚げると、膨らんで、サクサクとおいしいあられの出来上がり。

有平糖《アリヘイトウ》

ポルトガル語で砂糖菓子を意味する「アルフェロア」が訛《なま》ったといわれる南蛮菓子。室町時代末期に、ポルトガル船から長崎へ伝わったそうです。砂糖と水飴を煮詰めて作る装飾菓子、飴細工で、現在でもひな祭りなどのお祝い事やお茶席のお干菓子として見かけます。

有平糖：オープンハート、蝶、青葉。ほかにも20近くの種類があります。［甘春堂］

青丹よし《アヲニヨシ》

万葉集の「青丹よし奈良の都は咲く花のにほふがごと今盛りなり」と、奈良の枕詞《まくらことば》そのままの名がつけられた奈良の銘菓。「あを」は淡青《あを》、「に」は朱を表すという説もあり、若草色、薄紅色の2色に雲霞《くもがすみ》をイメージした白が施された短冊形の落雁《らくがん》です。

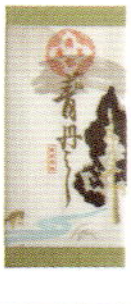

青丹よし：元禄10（1697）年創業の老舗です。［千代の舎竹村］

あんこ《アンコ》

あんこは和菓子の命！ 甘すぎても、さっぱりしすぎてもおいしくなくて、その塩梅《あんばい》が重要です。

一口にあんこといっても、小豆、白餡、ずんだ（枝豆をすりつぶして作る）、栗餡、芋餡、みそ餡など、その種類はさまざま。また、小豆の皮を破らないように柔らかく煮て甘味を加えて練り上げたつぶ餡、つぶ餡をつぶしたつぶし餡、柔らかく茹でてこし、甘味を加えて練り上げたこし餡と、その形状によっても味わいが違います。

白餡に卵黄を加えて

白いんげんまたは白小豆で作るこし餡

黄味餡　白餡　こし餡　つぶ餡

あんこを炊く《アンコヲタク》

市販のあんこや煮豆で手軽に作るのもいいけれど、好みのあんこが食べたかったら、自分で作るに限ります。お豆を煮るところから始めると、手間ひまかけた分、あんこの風味やおいしさに感激することうけあいです。

東京・井の頭の［末廣屋喜一郎］のあんこ作り。ご主人に教えていただいた、あんこの炊き方を p.109 に掲載しています。

あんみつ《アンミツ》

赤えんどうと寒天に蜜《みつ》をかけると「みつ豆」。メロン、さくらんぼ、あんず、いちごなどのフルーツ、求肥、あんこなどに蜜をかけると「あんみつ」。アイスクリームを加えると「クリームあんみつ」。白玉を加えると「白玉あんみつ」。

抹茶白玉あんみつ。のせるものが多くなるほど、名前も長くなります。

あんみつ羊羹《アンミツヨウカン》

「あんみつ羊羹ってどんなもの?」と思う方も多いはず。実際に見ると、名前そのままに、小豆の羊羹にあんみつの具である寒天、紅白の求肥、大粒の栗が入っています。水羊羹より歯ごたえのある羊羹に、寒天のツルンとした食感、求肥のモチモチ感が共存し、見た目にも美しい和菓子です。

一枚流し麻布あんみつ羊かん：甘さ控えめで、要冷蔵８日間と意外に日持ちもします。［麻布昇月堂］

石衣《イシゴロモ》

あんこに十分火を加え固めに練ったこし餡を、砂糖を溶かしてすり鉢ですったすり砂糖で覆った素朴な半生菓子。石に衣を着せたように見える、または石に打ち水をした様子に似てることから、その名がついたようです。関西圏では「松《しょう》露《ろ》」とも呼ばれます。

石衣：コロンと丸くて愛らしい。［梅源］

いちご大福《イチゴダイフク》

求肥を作ることができれば、基本的に、中身を替えていろいろな大福をいつでも食べることができます。餡は手軽な市販のものを使って、季節を問わないバナナ、春はいちご、秋は栗、冬のみかんもいけます。レンジで作るから簡単で、出来立ては本当においしい。（レシピはp.111）

大きめのいちごで、おいしく手作りできました！

亥の子餅《イノコモチ》

現在では10~11月頃に和菓子屋さんの店頭に並ぶ、猪《いのしし》をかたどったお餅。旧暦10月亥の日亥の刻に、お餅を食べて無病息災を祈り、また多産の猪にあやかり子孫繁栄を祈る習慣は、中国伝来の風習で、平安時代の宮中行事に始まりました。

亥の子餅：香ばしい黒ごまたっぷりの餅に、滑らかな餡入り。
[鶴屋吉信]

今川焼き《イマガワヤキ》

私の地元では「大判焼き」と呼びますが、地域によって「回転焼き」「二重焼き」「太鼓饅頭」など、いろいろな呼び名があって広く親しまれている今川焼き。たい焼きとはまたちょっと違って、たっぷり入ったあんこに香ばしい皮、実家に帰ると必ず食べたくなってしまいます。

いなり煎餅《イナリセンベイ》

商売繁盛、五穀豊穣《ほうじょう》の神様、全国に何万とあるお稲《いな》荷《り》さんの総本山・伏見《ふしみ》稲荷大社のお土産といえば、きつねの面の型で1枚ずつ手焼きでこんがり焼いたお煎餅。サクサクして、白みその風味と香ばしさはたまりません。甘さ控えめなので、甘いのが苦手な人にも喜ばれます。お面の大きさがあるので食べごたえも十分。

[総本家いなりや]

[総本家 宝玉堂]

ういろう《ウイロウ》

外郎《ういろう》家で作っている薬とお菓子を「ういろう」と呼びます。ういろうというと、私は歌舞伎十八番の「外郎売」の口上を思い出します。二代目市川團十郎《だんじゅうろう》が病気を患い、ういろうで完治したことへの感謝の意味をこめて、ういろう売りの口上ができたといわれています。こちらのういろうもまた、和菓子と同様、現役ということです。

お菓子のういろう：左から抹茶、黒砂糖、白砂糖、小豆。米粉を使ったモチモチ感はほかにない食感。まさに素朴な風味です。［ういろう］

おもてなしに使いたい、［かごや］の千筋結び籠。練り切りを盛りつけたら、とても豪華になります。

器《ウツワ》

和菓子を盛りつける器によって、食べるときの気持ちが違います。オーソドックスに和皿や菓子皿も悪くないですが、おもてなしの演出や、季節のお菓子の種類によって、または思いきって洋皿を使うことで、いつもと違った雰囲気で和菓子が楽しめます。

［工房あめつち］の色絵皿は、雌鹿柄。小さなお皿は和菓子を一つのせるのにぴったりです。

バリ島在住ガラス作家・鳥毛清喜（とりげせいき）さんのチズルドグラス。夏の和菓子に。［セレー］

うさぎ《ウサギ》

文句なしに可愛い和菓子のうさぎ。その愛らしい姿に、思わず口元がゆるみます。お月見のときには、たくさんのうさぎのお菓子がお店に並びますが、古くから愛されているモチーフです。

練乳たっぷり焼き饅頭：和と洋がうまくマッチング。栗金時飴がおいしさを引き立てています。［京都吉祥庵］

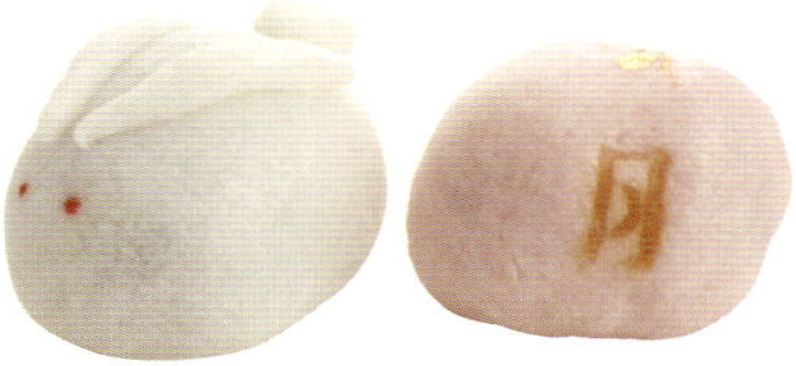

麻布の月、月うさぎ：麻布の月には、甘く煮られた大粒の栗がごろんと入っています。［麻布昇月堂］

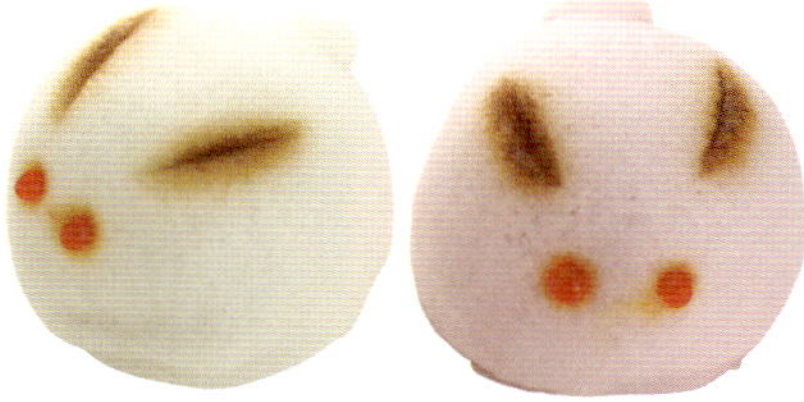

紅白うさぎ饅頭：可愛くて縁起がいいと、結婚式の引き出物やお祝いなどにも人気です。［あわ家惣兵衛］

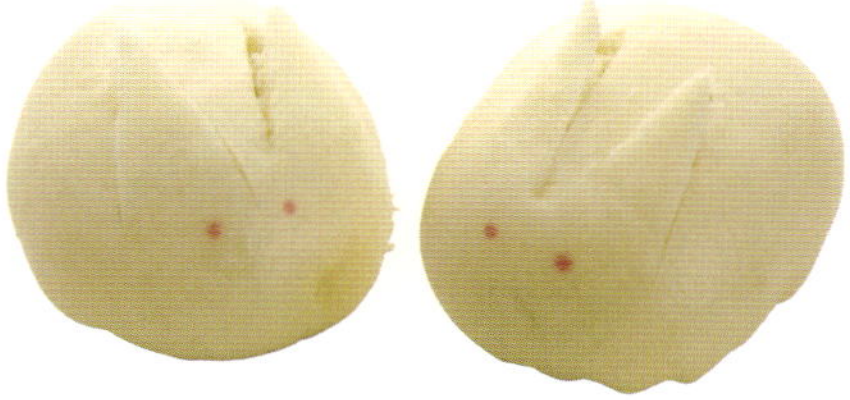

うさぎ饅頭：北鎌倉から明月院に行く途中にあるお店でいただく蒸したてほやほやを、おうちでも。［茶寮 風花（かざはな）］

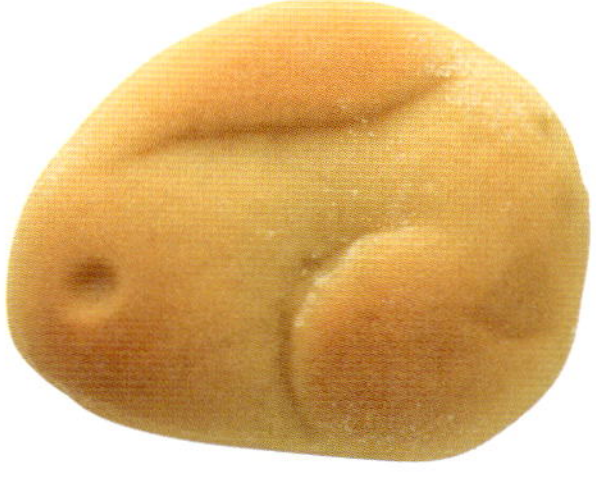

パッケージもうさぎ！

秋夜のうさぎ：練乳香る生地で白餡を包んだうさぎは、小ぶりで食べやすい。秋限定。［菓匠清閑院］

うさぎまんじゅう：どらやきで有名な上野うさぎやですが、ここの餡はおいしいと実感できます。［うさぎや］

干支《エト》

お正月には、その年の干支をモチーフにした和菓子がたくさん出ます。ほとんどが期間限定、お正月だけ食べられるお菓子です。縁起がよくて可愛いので、「お年賀」の熨斗《のし》もつけて、ご進物にも喜ばれること間違いなしです。

干支の上生菓子：毎年お正月に、干支のお菓子を用意するのも素敵ですね。［大極殿本舗］

1

2

縁起菓子《エンギガシ》

日本人は衣食住、何でも縁起のよいものを好みます。それは節目となる冠婚葬祭のみならず、日々の生活の中で家族や人の幸せを祈願して生まれた習慣なのだと思います。

3

1 福だるま：お茶目なお顔で、たまごボーロみたいな優しい味。［本家船はしや］2 福徳せんべい：縁起のいい土人形や金花糖が入っています。［落雁諸江屋］3 笑小巻：源氏巻をアレンジしたこのお菓子を目にして、ニッコリしない人はいないのでは？［三松堂］4 吉祥最中まねきねこ：招き猫に小判！　自分で餡を入れていただきます。［東肥軒］5 小法師（こぼうし）：会津の郷土玩具・起き上がり小法師をかたどっています。［会津葵］

4

5

おかき《オカキ》

煎餅はうるち米。餅米を使っているのが、おかきやあられ。おもちを砕いて煎るときの音が「霰《あられ》」に似ていたからという説があるそうで、あられは小ぶりなもの、おかきは大ぶりなものをいいます。とはいえ、実際は、おかきとあられの境界線は微妙なようです。

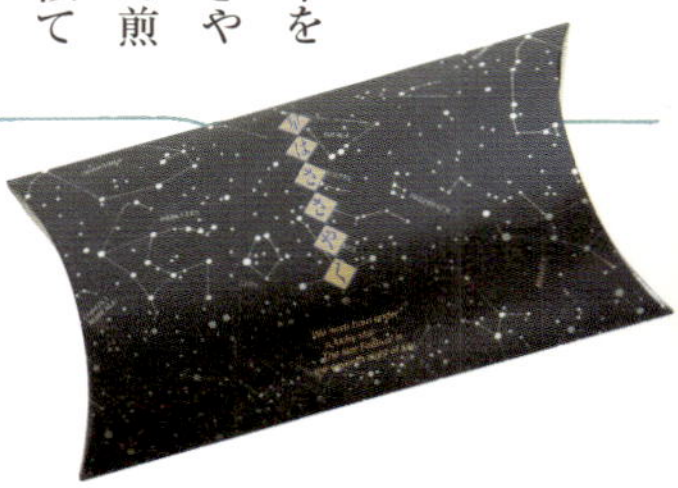

星はささやく：七夕の頃限定。あられ、煎餅、おかきがいろいろ入っています。［赤坂柿山］

おこし《オコシ》

江戸の雷おこし、大阪の粟《あわ》おこし・岩おこしは有名ですが、全国津々浦々さまざまな味のおこしがあります。古文書に記述があるほど歴史も古く、昔からおこしは庶民に親しまれてきた伝統菓子です。お米のサクサクした歯ごたえ、ほんのり甘く素朴な味わいです。

古代：多くの人に「おこし感が変わる」といわしめています。［大心堂］

粟おこし：米粒を細かく砕いて粟のように見せています。［二ッ井戸 津の清］

phot by KIUKO「花餅」http://www.flickr.com/photos/kiuko/2346394937/

柳の枝に色とりどりのお餅や団子などを飾り、神棚や大黒柱に飾って新年を迎える餅花（もちばな）。

お正月《オショウガツ》

お正月といえば、新年のご挨拶まわりに持参する配り物、お正月ならではの飾り、年賀訪問者にお出しする菓子贈り。元旦には必ず和菓子とお茶をいただくというご家庭もあります。その地域やご家庭によっていろいろですが、お正月ならではの習慣です。

縁起開運えと飴：ご挨拶まわりにぴったり。［萬年堂］

京菓子おせち：お正月限定。美しい！［伊藤久右衛門］

お寺で和菓子《オテラデワガシ》

お寺には、和菓子とお茶をいただける茶室や休憩処があるところも。静かな非日常の中で楽しむ和菓子とお茶は格別です。

大徳寺　瑞峯院

千利休のお墓もある、茶の湯と関係の深いお寺。お茶室で抹茶をいただけます。（京都市北区紫野大徳寺町81　瑞峯院）

宝泉院

客殿広間から見える庭は「額縁庭園」と呼ばれ、日本画のような景色が広がります。（京都市左京区大原勝林院町187）

報国寺

竹の寺ともいわれ、茶席「休耕庵」で竹林を眺めながら、抹茶と和菓子をいただけます。（神奈川県鎌倉市浄明寺2-7-4）

おちょぼ《オチョボ》

和三盆の上にちょこんと紅を挿してある可愛らしいお菓子。おちょぼは、おちょぼ口からきていて「可愛くて小さい」という意味。また、歌舞伎の義太夫《ぎだゆう》が目印のために自分の語る部分に点を打ったことから、印をつけることを「チョボ」というようになったそうです。

おちょぼ：口の中ですぅっと溶けます。上質な和紙に包まれた一口サイズが可愛い。[万年堂]

おととせんべい《オトトセンベイ》

魚介類を練りこんだ煎餅などはよくありますが、獲れたての小魚やタコを丁寧にさばいて乾燥させ、お煎餅にのせて1枚1枚手焼きした、大胆で迫力満点な煎餅。これだけ大きいとお味もしっかりしていて、口に入れると磯の香りがします。高松の「象屋元蔵《きさやもとぞう》」のお菓子です。

タコ、イカ、ワカサギ、タイ、ハゼ、キス…。絵ではありません、本物です。

おめでとう《オメデトウ》

入学、卒業、出産、就職、結婚記念日、還暦、古希、傘寿《さんじゅ》など、人生の節目節目に長寿、無病息災、安全などを祈願してきました。言葉にするのが照れくさくても、「おめでとう」の気持ちをストレートに伝えてくれる和菓子が素敵です。

御目出糖（おめでとう）：長寿祝いなどに喜ばれそうな、ご祝儀菓子。［いいだばし萬年堂］

おめでとうまんじゅう：色とりどりで可愛い。子どもの内祝い、七五三、入学祝いなどに。［清風堂］

えくぼ：お誕生やお食い初めのお祝いにぴったり。愛らしい上用饅頭です。［大極殿本舗］

貝合わせ《カイアワセ》

貝合わせとは、はまぐりに大和絵や花鳥画を描いて、ばらばらにおいて、一対となる貝殻を当てる平安時代の遊び。一対となる貝殻は、ほかの貝とは決して合わないことから、夫婦の貞節の象徴として嫁入り道具になったり、よい伴侶《はんりょ》に巡り合えるようにとひな祭りの遊びや飾りとされています。

貝合わせ：本物のはまぐりに葛と蕨（わらび）を用いて、季節ごとに餡が変わります。［甘春堂］

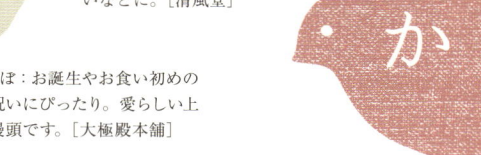

懐紙《カイシ》

懐紙といえば、お茶席で使うものというイメージがありますが、季節にそったデザインがたくさんあって、使い方もいろいろ。口元を拭く、食べ残しを隠す、杯の縁をぬぐう、食後に汚れた箸をぬぐうなど、お食事のときに使うほか、一筆箋《いっぴつせん》にしたり、ちょっとした袋ものなども作れます。

お客様にお菓子をお出しするときは、少しずらして二つ折りに。

懐紙で作るぽち袋

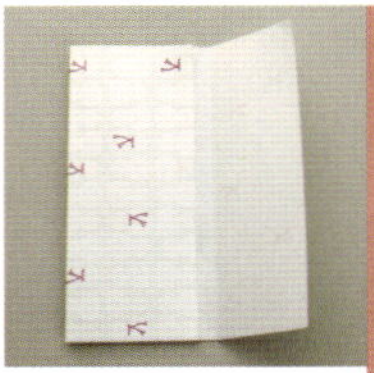

1 懐紙を左端から、3分の1くらいのところで折ります。

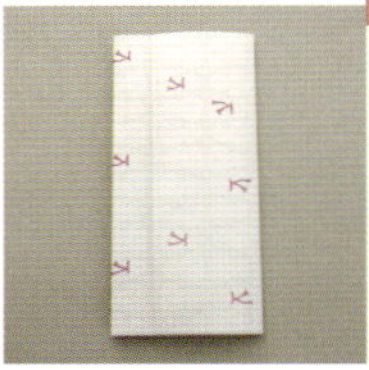

2 着物の合わせのように、右側を上に折り重ねます。

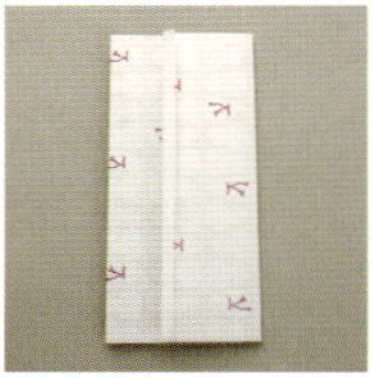

3 端をちょっとだけ折り返します。

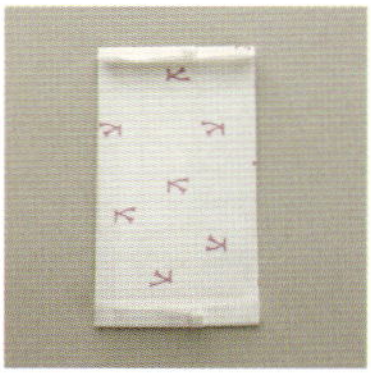

4 裏返して、上と下を少し折れば出来上がり。

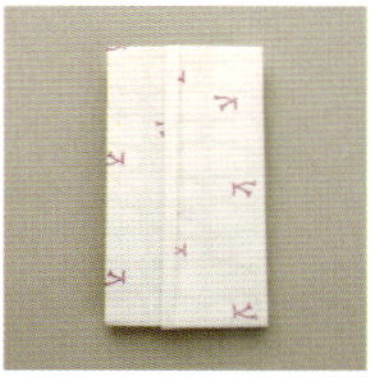

5 表に名前や一言添えて差し出せば、なんとも上品です。

懐紙で作るはし袋

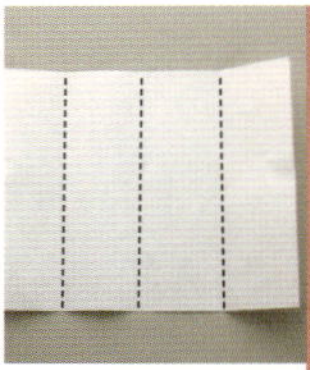

1 懐紙を縦に4つに折って折り目をつけます。

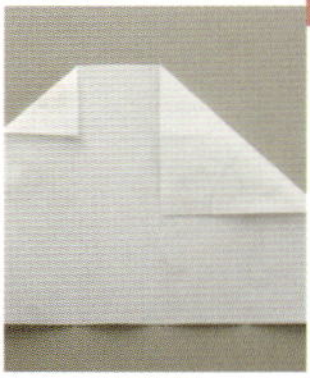

2 右上を真ん中まで、左上を4分の1折り返します。

3 左右を真ん中まで折り、さらに2つに折ります。

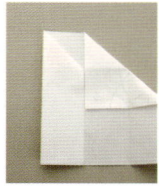

4 裏返して、下を少し折り上げたら完成。

5 黒文字をこの袋に入れてお出ししてもステキです。

お菓子をいただくときは、四隅をそろえて二つ折りにし、ほかの懐紙に重ねます。

かいちん：絶対写真を撮りたくなる可愛さ。表面のお砂糖のカリッとした歯ざわりと、中の寒天の柔らかさ。［石川屋本舗］

かいちん《カイチン》

聞き慣れない言葉ですが、金沢では昔、おはじきのことを「かいちん」と呼んだそうです。その名のとおり、お砂糖と寒天で作られたおはじきのよう。木の葉やお花や動物のモチーフの淡い色が愛らしいお干菓子です。

かき氷《カキゴオリ》

夏になると食べたくなるかき氷ですが、意外にも『枕草子』にも登場するほど歴史が古く、平安時代には削り氷に甘い蜜をかけて食べていたそうです。でも江戸時代、氷は将軍家に献上されたほど貴重なものでした。現在のようなかき氷屋が誕生したのは明治以降なのです。

すだち氷、宇治ミルク金時：季節限定の人気のすだち氷は、最初は「すだち？」と疑問に思うけれど、さっぱりとした甘みにはまる人多し！［中村軒］

菓子切《カシキリ》

天保9（1838）年創業、現存する日本で最も古い錫《すず》工房である、金属工芸の［清課堂《せいかどう》］の銀製菓子切。丁寧に彫りこまれた草花は職人さんの手作り。1年12カ月を花で楽しめます。ちょっと特別な日に、または和菓子好きなお友達にお誕生月の菓子切をプレゼントするのもいいかも。

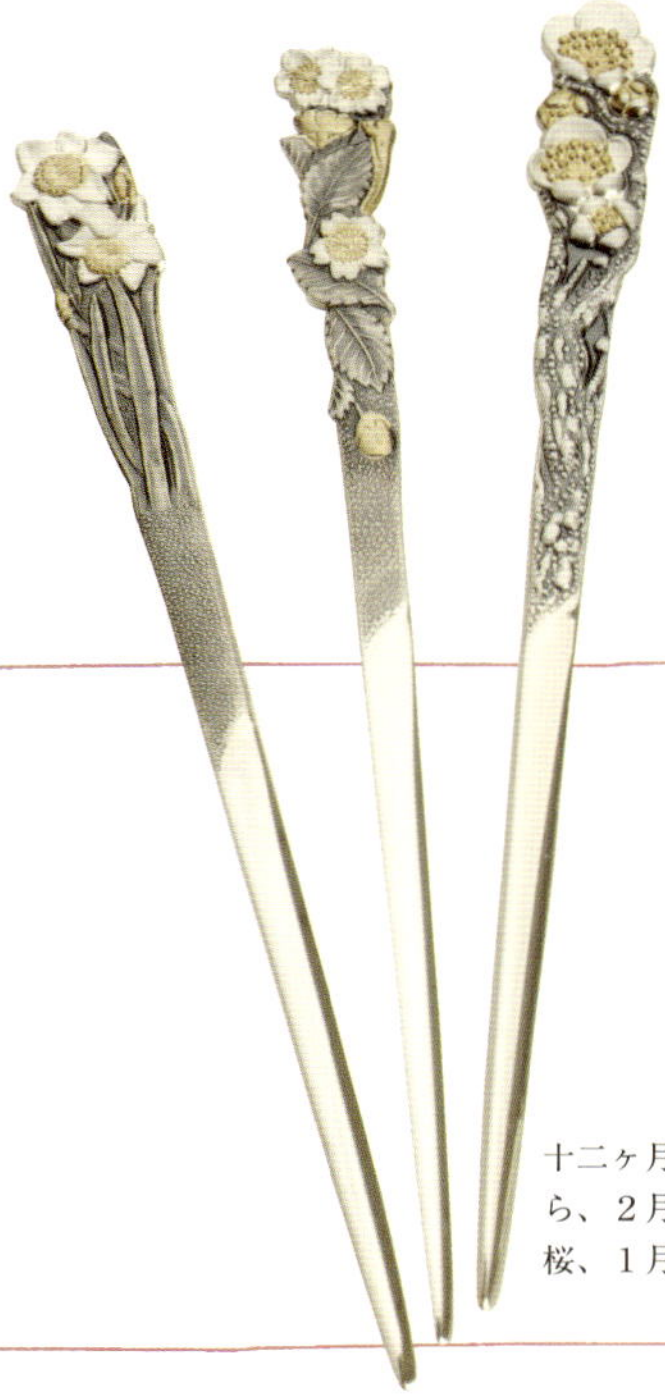

十二ヶ月菓子切：右から、2月の梅、3月の桜、1月の水仙。

神楽坂 プチ和菓子散歩《カグラザカプチワガシサンポ》

神楽坂（東京）は大好きな場所。ちょっとレトロで、路地散策も楽しくて。雑貨屋さんをのぞいたり、おいしい和菓子やお茶をいただけるところも点在しています。

a 梅花亭 神楽坂本店：p.37 掲載の麦羽二重餅のお店。柚子もちも人気です。 **b** 菓匠清閑院 神楽坂本店：p.19 掲載のうさぎの和菓子のお店。**c** 東京松屋本店：葛菓子の老舗。本店は奈良の吉野にあります。 **d** 神楽坂茶寮：町家風の一軒家を丸ごと使った、雰囲気のある和カフェ。 **e** 毘沙門せんべい福屋：歌舞伎役者もひいきにしていた手焼きのお煎餅屋さん。 **f** 五十鈴：吟味した材料で作る甘納豆が看板商品。 **g** 神楽坂地蔵屋：しっかり堅焼きが特徴的な手焼き煎餅のお店。 **h** 日本茶茜や：心からくつろげる隠れ家的な日本茶カフェ。 **i** きんときや：焼き芋から作った「きんときぽてと」は絶品です。 **j** 紀の善：有名な甘味処。ここの抹茶ババロア大好き！

懐中汁粉《カイチュウシルコ》

少し肌寒い日、おやつに食べたくなるお汁粉。そんなときは懐中汁粉です。すぐ食べられて便利だし、お湯を注いで形が変わっていくのを見るのも、ちょっとワクワクします。

おこげしるこの作り方

お椀に入れて→外側の皮を割って中の餡を出し→お湯を注いでかき混ぜて、いただきます！

1 竹の露：本物そっくりで楽しくなってしまう！［京華堂利保］ 2 おこげしるこ：おこげがほんのり香ばしくて、コロンと可愛い。［遠州屋］

鹿の子《カノコ》

江戸時代から伝わる和菓子の一つで、お豆をはりつけた様子が鹿の背の斑点に似ていたことから名づけられました。お豆も小豆のほかに、大正金時、京豆、虎豆、青えんどうなどいろいろ。栗鹿の子は、鹿の子の中でもちょっと贅沢な感じで特別です。

花鹿の子：栗・小倉・しぼり・うぐいす・京・うずらと、色とりどりの盛り合わせ。［銀座鹿乃子］

賀茂葵《カモアオイ》

京都の下鴨《しもがも》神社の御神紋《ごしんもん》、双葉葵《ふたばあおい》をかたどったお菓子です。砂糖、丹波大納言小豆、水飴、寒天を使用し、甘さは控えめ、外側はシャリシャリした食感が楽しめます。

葉っぱでもあるけれど、ハートにも見えてキュート。［宝泉堂］

カステラ《カステラ》

カステラの原形といわれるスペインのビスコチョとポルトガルのパン・デ・ローが生まれたのは、なんと紀元前3世紀。気が遠くなるような時間を経て、400年以上前にスペインやポルトガルの宣教師、商人たちによって日本に伝えられました。

ポルトガル語の発音である「カステーラ」、またはメレンゲを作る際、高く盛り上げるときに「お城（カステロ）のように高くなれ！」といったことから、「カステラ」となったという説もあるそうです。伝えられてから、日本独自に進化してきたカステラです。

チョコラーテ：きれいなチョコ色、ふわっとチョコレートの香り、ザラメのシャリシャリ感もグッド。［松翁軒（しょうおうけん）］

抹茶カステーラ：カステラと抹茶の組み合わせは、抹茶の渋みと風味で、甘さが優しくなるから好き。［長崎堂］

カステラ巻：カステラのまわりにぐるりと生地が巻いてあります。食べ過ぎないのがよいです。［文明堂総本店］

カステラ：有名店のカステラは、きめ細やかでしっとり。絶対がっかりさせません。［文明堂総本店］

長崎かすていらサイダー：レトロな瓶にカステラ色、シュワシュワ炭酸に甘〜いカステラ味。［田浦物産］

亀《カメ》

亀は長寿の象徴。また銭亀という種類の亀がいて、長者が瓶にお金をためこんだことから、金運がつくということで古来、亀は縁起物として広く親しまれてきました。

亀まんじゅう：元パン屋さんだったという静岡の和菓子屋さんです。［かめや本店］

亀どら：つぶ・こし・ごま・ゆずみそなど、季節限定の変わり餡が楽しめます。［天明三年創業 龜屋（かめや）］

かるかん《カルカン》

自然薯《じねんじょ》、米粉、砂糖だけで作られた鹿児島の銘菓。今から３００年前、薩摩藩・島津家のお祝い席に並んだのが最初といわれています。以後、婚礼・年始などのお祝いには欠かせない、格式のある和菓子だったそうです。

かるかん：島津家の御用菓子司でもあったそう。ふんわりとした口当たり、美しい白。［明石屋］

豊島屋
段葛こ寿々

旭屋本店

美鈴

大佛茶廊

鎌倉プチ和菓子散歩《カマクラプチワガシサンポ》

有名な寺社がたくさんあり、四季折々の花が咲き、鎌倉は古都と呼ばれるにふさわしい空気を持っています。鎌倉ならではのスタイルを持ったお店も多く、ゆるい時間が流れています。

a 蕉雨庵（しょううあん）：珍しい白小豆の生菓子もいただける和カフェ。 **b** 旭屋本店：鎌倉で豆大福といえばここ。創業 108 年の老舗です。 **c** 紅谷：リスのパッケージも可愛い「クルミッ子」が人気。 **d** 鎌倉まめや：珈琲、きな粉など珍しい豆菓子に目移りしてしまいます。 **e** 大佛茶廊（おさらぎさろう）：作家・大佛次郎の別邸でお茶と「美鈴」の和菓子を。土日祝日営業。 **f** 美鈴：路地裏にたたずむ情緒のある和菓子屋さん。 **g** 段葛こ寿々（だんかずらこすず）：おそば屋さんで人気の絶品わらび餅を。 **h** 鎌倉五郎本店：抹茶や小倉のクリームをお煎餅でサンドした「半月」が美味！ **i** 源吉兆庵 鎌倉本店：和菓子の有名店。p.92 掲載の陸乃宝珠も。 **j** 豊島屋：鎌倉土産ならここの鳩サブレー。p.66 掲載の小鳩豆楽も。

かりんとう《カリントウ》

かりんとうは、奈良平安時代に遣唐使によって伝わったともいわれるほど、長い歴史を持っています。そして現在も、昔ながらの黒糖に限らず、ごま、カレー、抹茶、しょうゆなどいろいろな味のもの、揚げない焼きかりんとうなど、進化・工夫が続けられています。

黒糖かりんと：甘すぎず、よい塩梅です。［麻布かりんと］

野菜かりんと：さつまいも、ほうれん草、にんじん、かぼちゃ、玉ねぎの５種類の味が楽しめます。［麻布かりんと］

源作：個包装という贅沢さもさることながら、ゴロンとした太さ大きさがおいしさの秘密。カリッとしてふんわり、たっぷり黒糖がしみこんでいます。［蔵久］

かりまん：黒糖とあんこ、カリカリ感としっとり感が共存する、衝撃的なおいしさ。那須御養卵に沖縄産黒糖、栃木県産の小麦粉と、原材料にもこだわっています。［高林堂］

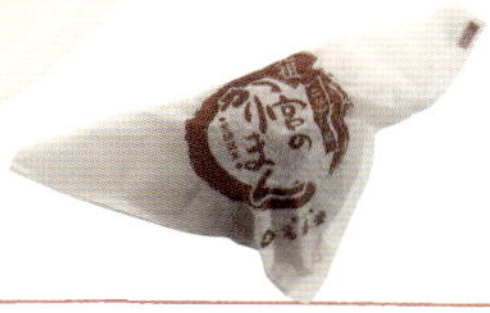

川越の芋菓子《カワゴエノイモガシ》

小江戸川越といえば、さつま芋菓子です。江戸時代、焼き芋が大ヒット。中でも川越のさつま芋が大人気となり、江戸から川越まで十三里あったことから、「栗（九里）より（四里）うまい十三里」と親しまれたのだそうです。

里土産、芋松葉、切り芋：100年以上も守り続けている手作りの味です。素朴さが癖になります。［亀屋栄泉］

看板《カンバン》

和菓子屋さんの看板は、歴史や趣が感じられて、つい見上げてしまいます。

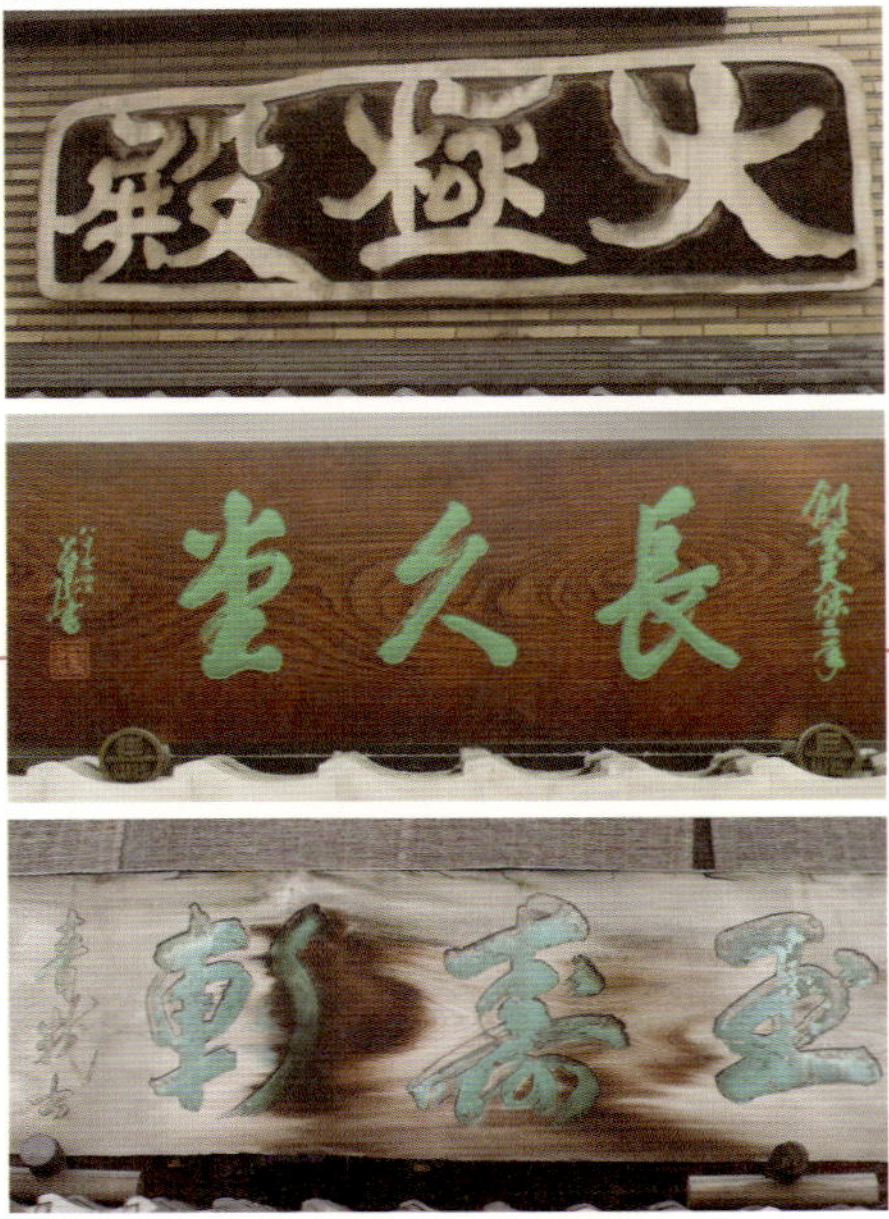

上から、大極殿本舗、長久堂、千本玉寿軒の看板。

稚児にも食べやすいサイズで、ふわふわの氷餅がふりかけてあります。

祇園ちご餅《ギオンチゴモチ》

昔々、京の夏の祭り、祇園祭では、稚児《ちご》行列にみそだれのついた餅が振る舞われたそうで、大正初期、「三條若狭屋」のご主人が、京菓子として祇園ちご餅を創作、復活させたのが始まり。甘い白みそを求肥で包んで、串に挿してあります。包みに「厄を除き福を招く」と書いてあるとおり、縁起物としても現在も人気です。

祇園豆平糖《ギオンマメヘイトウ》

京都「するがや祇園下里」の、炒《い》った大豆が入った棒状の飴。べっ甲色が美しく、口の中に広がる香ばしく繊細な甘さは癖になる味です。昔と変わらない製法を守るため、歴代の職人さんが丹精こめて手作りしています。

美しい飴色に、上品な甘さ。

木型《キガタ》

骨董屋さんなどで和菓子の木型を見つけると、使いこまれた木の味わいや、繊細なデザインの彫りに惚れぼれしてしまいます。菓子木型は江戸時代に作られた、和菓子作りに欠かせないアイテム。でも近年、製作する職人さんは年々減っていると聞きます。

合羽橋道具街近くにある、[浅見菓子道具店]の木型。和菓子の道具を専門に扱う数少ないお店です。

左の木型で作った和菓子。

桔梗信玄餅《キキョウシンゲンモチ》

山梨のお土産に何度いただいても、そのたびに嬉しい！のが、この［桔梗屋］の桔梗信玄餅。小さいのにたっぷりのきな粉が入っていて、黒蜜を入れる量も調節できるので、好みの甘さで食べられるのがよいところ。きな粉だけでも十分おいしいです。

丁寧に１個ずつ包装され、この大きさが食べ過ぎなくてちょうどいい。

黒蜜を流しこみ、楊枝でお餅を取り出していただきます。

菊《キク》

菊は桜と並んで日本の国花。着物の柄としても、和菓子のモチーフとしても古くから使われています。９月９日の重陽《ちょうよう》の節句には、酒に菊を浮かべて飲み、長寿の祈願をしました。菊モチーフの和菓子も、やはり長寿のお遣い物に好まれます。

菊寿糖（紅白）：徳島産の和三盆の甘さが、ほろほろと口の中で溶けていきます。［鍵善良房］

菊寿堂義信の大福《キクジュドウヨシノブノダイフク》

天保年間創業の老舗和菓子屋［菊寿堂義信］。とにかく皮がとろけるように柔らかい求肥で、たっぷり入ったつぶ餡はほどよく水分が飛ばしてあって絶妙なバランス。甘さ加減も上品です。予約をしないとなかなか手に入らない、ちょっと特別な大福です。

黄味時雨《キミシグレ》

黄味餡に寒梅粉《かんばいこ》（もち米）を混ぜて小豆餡を包み、蒸すと、ふくらんで表面にひびが入ります。その様子が、雨のあとの雲から光さしこむ様子をイメージさせます。昔は「君時雨《きみしぐれ》」と、ロマンチックな名前でも呼ばれていたそうです。

黄味時雨：口の中で黄味餡がくずれ、上品な甘さが広がります。［東京岬屋］

求肥《ギュウヒ》

少し透明感のある柔らかい求肥。おうちでも簡単に電子レンジで作れるので、時々むしょうに食べたくなると作ります。白玉粉などに水を加えながら混ぜ、白糖や水飴で甘みを足して加熱して練るだけ。求肥でアイスやいちご、栗などを包んだり、クレープの中に入れたり、あんみつやかき氷に入れてもおいしいです。

麦羽二重餅：とろけるような求肥に、しっかりこし餡。［梅花亭］

金花糖：関東ではこの１軒のみとなってしまいました。結納、結婚、ひな祭り、還暦などのお祝いにぴったり。［萬年堂］

金花糖《キンカトウ》

型に煮溶かした砂糖液を流しこんで冷やし固め、乾かしてから一つ一つ彩色する手間のかかった砂糖菓子、江戸時代から伝わる伝統駄菓子です。昔は結婚式の引き出物やひな祭りなどに使われました。現在では、日本で金花糖を作っているのは2軒となってしまったそうです。

京都プチ和菓子散歩《キョウトプチワガシサンポ》

京都といえば、和菓子の宝庫のような街。和菓子巡りをするだけでも、何回も通わないといけないほどです。おいしい和菓子に事欠かないので、何度行ってもワクワクしてしまいます。

a ぎをん小森：お茶屋の雰囲気が残る甘味処。時に舞妓さんの姿も。 **b** するがや祇園下里：p.35 掲載の祇園豆平糖のお店。 **c** 祇園３５９：友禅のお店の和カフェ。友禅ロールケーキが美味。 **d** みよしや：みたらし餡ときな粉のかかった焼団子は絶品！　営業は夕方から。 **e** 鍵善良房：京のくずきりといえばここ。p.36 掲載の菊寿糖も。 **f** 祇園小石：京都の飴屋さん。p.51 掲載のさくら飴も。 **g** 俵屋吉富　祇園店：p.90 掲載の京まいこちゃんボンボンのお店。 **h** 茶寮都路里（さりょうつじり）：宇治抹茶をふんだんに使った和スウィーツが人気の行列店。 **i** 亀屋清永：p.68 掲載の清浄歓喜団のお店。400 年近い歴史のある老舗です。 **j** 祇園ＯＫＵ：祇園の路地裏にたたずむ町家を改装した和カフェ。(p.95)

金魚《キンギョ》

思わず見惚れてしまい、食べるのを忘れてしまうほど愛らしい、金魚があしらわれた夏の和菓子。寒天を使うことで、金魚鉢を上からのぞきこんだような透明感。餡などで作られた金魚や青葉は、本物を見るように涼を呼ぶ。これぞ日本の美意識！となってしまいます。

若葉蔭：彩りも美しく、涼を呼ぶ。［とらや］

金魚鉢：可愛らしくて、じっと観察していたくなるほど。［幸楽屋］

金魚：目を奪われる水の美しい青。金魚の形もそれぞれ違う繊細さです。［松彌（まつや）］

夏の庭：菓銘も素敵。水底に沈む石ころにゆっくり泳ぐ金魚、わびさびを感じます。［甘春堂］

錦玉《キンギョク》

寒天を溶かして、お砂糖を加えて固めたお菓子を、錦玉、または琥珀《こはく》といいます。水の中、空のきらめきなどを表現するのに使われます。ひんやり冷やして食べると口当たりもよく、夏の和菓子には欠かせないものです。

きんつば《キンツバ》

寒天などで固めた餡を、表面に小麦粉をつけて焼いたお菓子、きんつばは漢字で「金鍔」と書きます。現在では四角いのが一般的ですが、昔は刀のつばのように少し丸いシルエットだったそうです。昔も今も変わらず、庶民的でシンプルな味わいが魅力です。

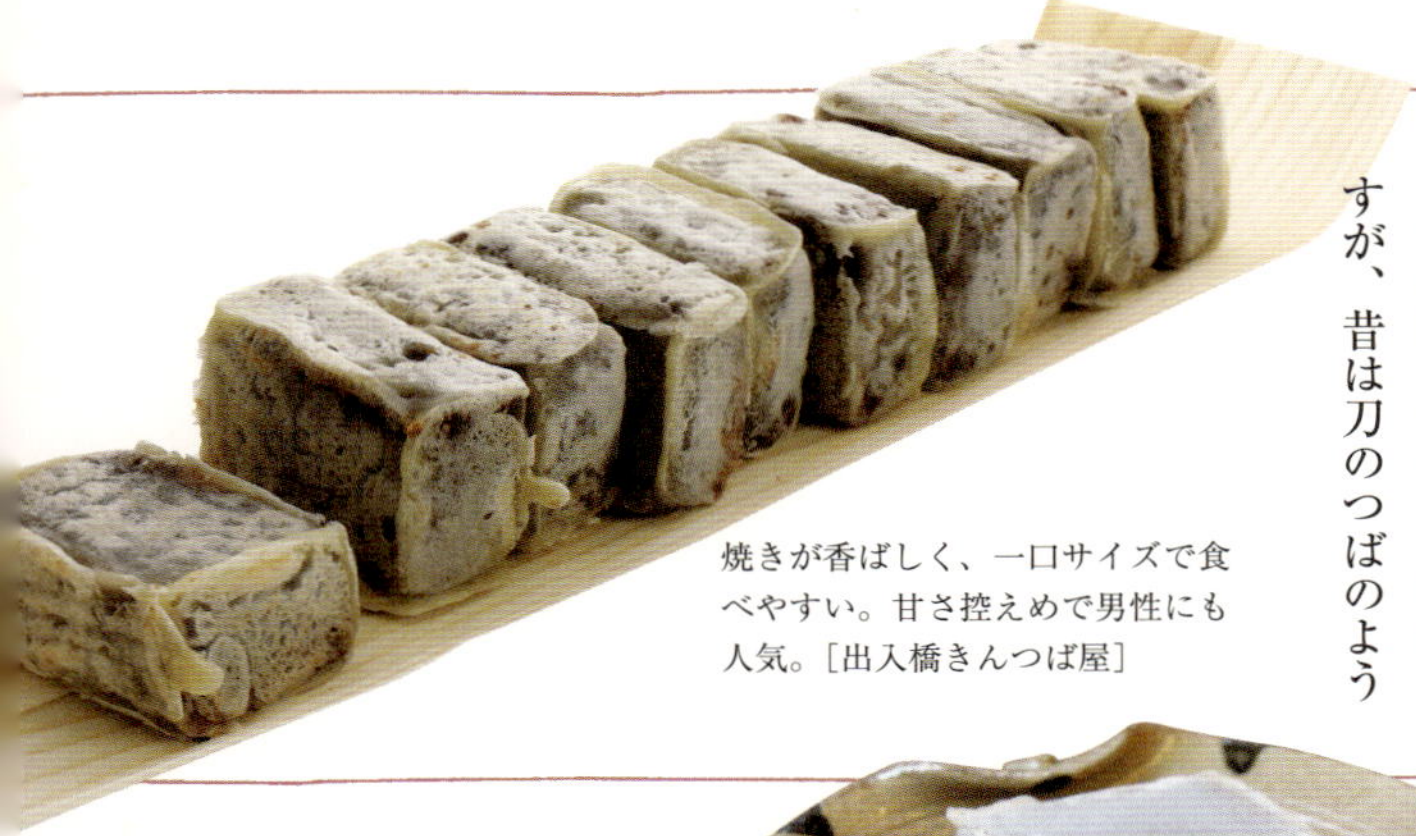

焼きが香ばしく、一口サイズで食べやすい。甘さ控えめで男性にも人気。［出入橋きんつば屋］

薄皮がおいしくて、がっつりあんこもさっぱりした甘さ。いくつでも食べられそうで危険です。［徳太楼］

きんとん《キントン》

お茶席などでは定番の和菓子のきんとんは、餡をこしたものを箸で餡玉のまわりにつけたもの。春は桜色、初夏は紫陽花《あじさい》、秋は紅葉、冬は雪の白と美しい色合いで季節が表現され、1年を通していただけます。

錦繍（きんしゅう）：きんとんの細かさは京都一で美しい。要予約。［嘯月（しょうげつ）］

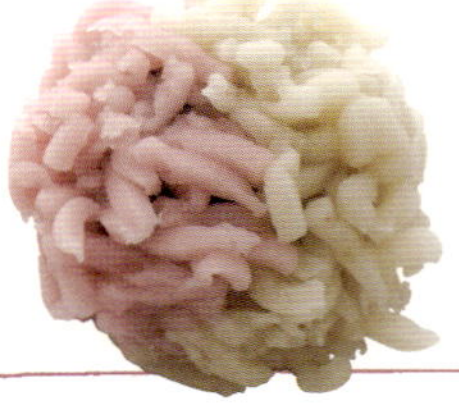

咲き分け：春らんまんのイメージです。［末廣屋喜一郎］

葛餅《クズモチ》とくず餅《クズモチ》

関西の「葛餅」は葛を使っていますが、関東では「久寿餅」「くず餅」と書き、発酵小麦でんぷんを使っています。見た目にも、葛餅は透明感があり、くず餅は少し白濁しています。葛粉は昔から薬効があるといわれ、身体に優しい食べ物。くず餅は和菓子では唯一の発酵食品で、こちらも身体によいのです。

元祖くず餅：小麦でんぷんを15ヶ月発酵させて丁寧に蒸し上げ、モチモチの食感に。［船橋屋］

栗《クリ》

和菓子屋さんに栗を使った和菓子が並び始めると、夏が終わり、秋が来たことを感じます。栗きんとん、栗羊羹、栗甘納豆、栗鹿の子など、栗が入ってるだけでちょっと贅沢感があって、味わって大事に食べてしまいます。

栗きんとん：９月から３ヶ月ほどの期間限定、しかも原材料は栗と少しのお砂糖だけ。本来の旬の栗を味わえます。［恵那寿や］

栗甘納糖：大粒の栗をいただく幸せ！　コーヒーや紅茶とも相性◎［銀座鈴屋］

栗甘納糖：厳選された大粒栗の上品な甘さ。ほくほく食べられます。［十勝甘納豆本舗］

栗蒸し羊羹《クリムショウカン》

練りの羊羹より歴史が古い蒸し羊羹。がっちりした練り羊羹、ぷるるんとした水羊羹と比べて、蒸し羊羹は小麦粉が入るので食感がもっちりしています。栗蒸し羊羹は、もっちりと栗のほっこりのバランスがすばらしいのです。

栗蒸し羊羹：栗がごろごろ入っている幸せ感がたまらない。生栗が入手できる期間限定。［庵月堂］

くるみ餅《クルミモチ》

長い間、くるみ餅というと、くるみで作った餡のお餅かと思っていました。もちろん、それをくるみ餅とする地域もありますが、大阪で出会ったくるみ餅は、くるみ餡ではなく、くるみ＝包むという意味でした。

くるみ餅：鎌倉時代末期に創業した大阪の老舗。信長、秀吉、千利休も食べたといわれているそう。［かん袋］

column

和菓子な雑貨

和モノ好き、和菓子好きな人への贈り物にもおススメ。とっても喜ばれます。

飴ちゃんの可愛いらしさを存分に表現した本物の飴アクセ。飴パーツは特許取得済。（ナナコプラス）

間違って食べてしまいそうな落雁みたいな入浴剤。お湯に入れると発泡してよい香り。（入浴剤屋）

小さいきんとん、栗羊羹、大福、お饅頭が頭についている待ち針。可愛すぎて使えない！

花見団子は春、栗は秋、たい焼きは冬……と季節を感じながらテーブルを飾りたい、和菓子の箸置き。

和菓子てんこもりのスウィーツデコが可愛いすぎる、朱肉入れとペンケース。（スイートエッセンス）

落雁用の木型で作った、両手に乗るくらい大きな「おめでたい」鯛ソープ。（玉の肌石鹸）

和三盆、竹筒入り羊羹、金魚が泳ぐ夏の涼菓などの立体シール。暑中見舞いなどに貼ると素敵。

ほのぼのとした和菓子のはんこ。和菓子のおすそ分けの紙袋やお手紙に使いたい。（和敬静寂）

入浴剤屋 http://www.rakuten.co.jp/nyuyokuzai-2・ナナコプラス http://www.nanaco-plus.com・スイートエッセンス http://www.rakuten.ne.jp/gold/ikoro-solar/sweetessence・和敬静寂 http://www.wakei-seijyaku.jp・玉の肌石鹸 http://www.tamanohada.co.jp

本物みたいにセットされた桜餅、クリームぜんざい、実はタオル。贈り物に。（アメニティライフ）

わんちゃんに、三色団子、うさぎ饅頭、金太郎飴、桜餅の和菓子トイを。（ペッツビレッジクロス）

3.5×2.5cmほどの可愛いミニチュア和菓子。よくできています。おいしそう。（こまものや六方）

いちご大福、かしわ餅、和菓子と道具たち、和菓子好きの人のための手ぬぐいです。（濱文様）

落雁みたいなキャンドルは、上品なお皿に置いたり、和のテーブルコーディネートに最適。

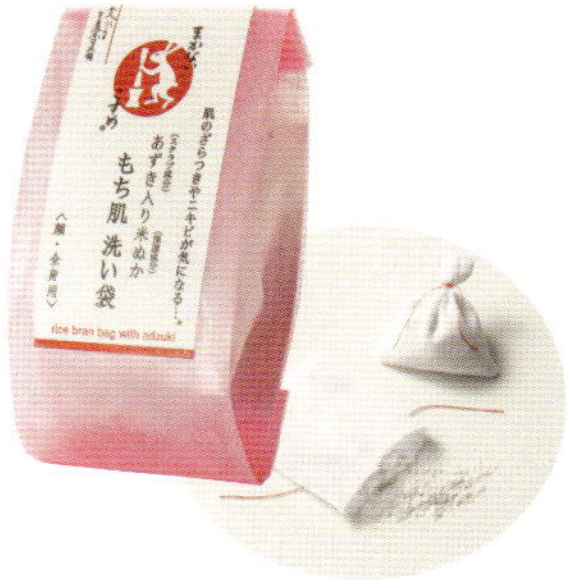

美肌成分たっぷりの米ぬか袋。にきび肌におススメなあずき入りです。（まかないこすめ）

1枚の手ぬぐいを和綴じした手ぬぐい本「和菓子いろいろ」。絵本のようで楽しい。（濱文様）

おままごとしている気分になる、お茶と三色団子の消しゴム。いろいろ集めてみたくなります。

黒砂糖と馬油の保湿成分がバランスよく配合された洗顔石鹸。きめ細かい泡立ち。（まかないこすめ）

こまものや六方 http://koma-roppo.com・ペッツビレッジクロス http://www.rakuten.co.jp/kurosu/・アメニティライフ http://www.amenitystyle.com・まかないこすめ http://www.e-makanai.com・濱文様 http://www.hamamo.net

くろ玉《クロダマ》

信玄餅と並ぶ、山梨を代表する銘菓。くろ玉を作っている［澤田屋］は、創業明治44年という老舗です。このツヤツヤの黒い玉は黒羊羹で、中は青えんどうを使ったうぐいす餡。食感も、黒糖のほどよい甘さが魅力です。

ぱっと見のインパクトもさることながら、割ったときのコントラストも目に鮮やかで美しい。

黒豆《クロマメ》

黒豆の和菓子というと、黒豆をそのまま使った黒豆菓子や甘納豆、水羊羹や寒天よせ、お煎餅、大福など。また、黒豆を使ったチョコレートやロールケーキなどの洋菓子は、ぐっと和スウィーツの味わいになります。

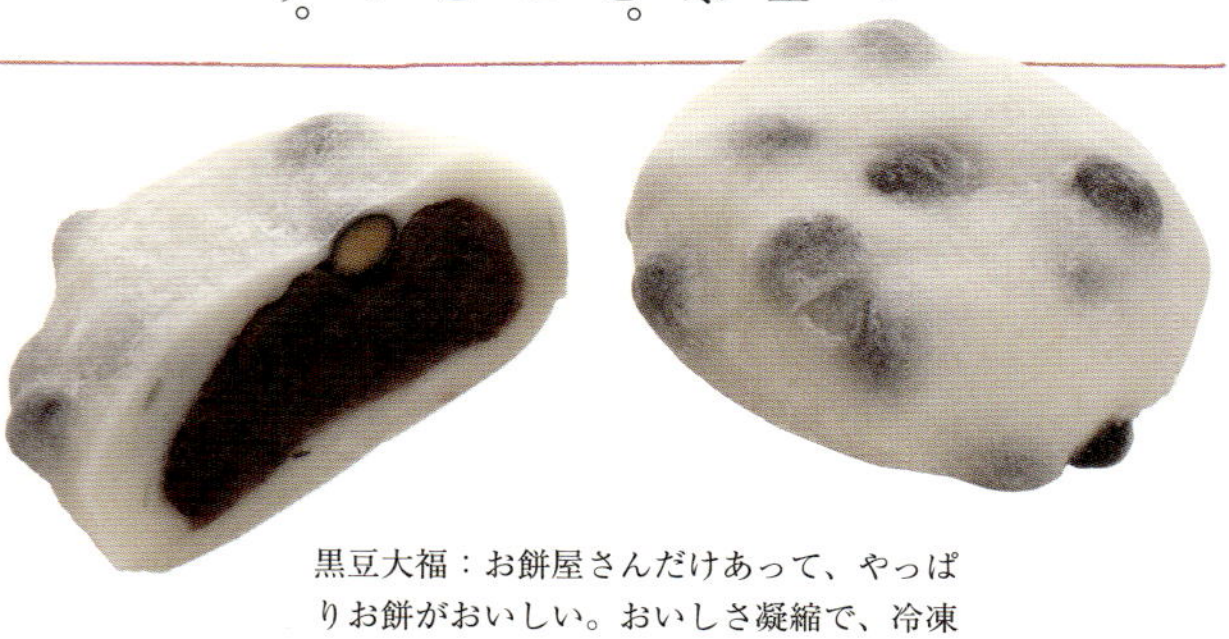

黒豆大福：お餅屋さんだけあって、やっぱりお餅がおいしい。おいしさ凝縮で、冷凍で届けてくれます。［札幌 餅の美好屋］

黒文字《クロモジ》

黒文字といえば、古くからお茶会などでお菓子をいただく楊枝《ようじ》として使われています。一般に楊枝のことをそう呼びますが、実は黒文字は木そのものの名前で、香りのある樹皮の木を削ったものです。通常、上用饅頭のように手で割るもの以外は、菓子楊枝を使います。お菓子の種類や大きさ、器に合わせて菓子楊枝を選ぶのも、和菓子の楽しみの一つです。

木の菓子楊枝がシンプルで好きです。

コーヒー大福《コーヒーダイフク》

いろいろな種類のある大福ですが、コーヒー大福を最初に思いついた人には感謝したい気持ちです。柔らかな薄皮に、濃厚なコーヒーのビターなフレーバーと生クリームが、口の中で程よく混ざり合って美味です。

コーヒー大福：餅皮にもコーヒーが入り、コーヒー入り白餡、真ん中に上質な生クリームの三層仕立て！［紅梅堂］

工芸菓子《コウゲイガシ》

花鳥風月、自然の風物詩を、すべて食用可能な菓子用食材を使って表現した芸術作品。江戸時代の京都で、観賞用として献上されたのが始まりだそうです。半年もかけて作られる工芸菓子には、職人の高い技量と感性が必須です。

作品名「野のうた」：［鶴屋吉信］

作品名「鳰の湖（におのうみ）」：［たねや］

五家寶《ゴカボウ》

埼玉三大銘菓の一つ。「五穀は家の宝である」という願いをこめて名づけられ、起源は江戸時代といわれていますが、諸説あって発祥は不明。大豆、もち米、砂糖、水飴という、いたってシンプルな原材料。でも、ぐにゅっとした不思議な食感、懐かしい少し甘めのきな粉。止まらなくなって、何個でも食べてしまいます。

五家寶：江戸時代からの製法を守り、原材料からすべて自社で製造している唯一のお店です。［紅葉屋本店］

九重《ココノエ》

仙台で古くから愛されている銘菓、九重は、まさに飲む和菓子。湯のみに大さじ2杯ほど入れ、お湯を注ぎます。すると、いい香りが立ち上って、九重のつぶつぶが浮かび上がってきます。この様子を見ているのも楽しい気分になります。

ぶどう・柚子・ひき茶と、美しい色合いが目にもおいしいのです。［九重本舗玉澤］

五智果《ゴチカ》

たけのこ、しいたけ、ごぼう、セロリ……「桃林堂」の五智果は野菜の砂糖漬け。江戸時代は、わりとポピュラーなお茶うけだったとか。砂糖漬けとはいえ、見事に野菜そのものの味がします。「意外にいける！」と思ってしまうおいしさです。

右から「たけのこ・生姜・小茄子」「にんじん・しいたけ・ごぼう・金柑・セロリ」「蓮根・オレンジ・蕗」。あくまでも和菓子だと心得ていただきましょう。

浪花ことばせんべい：「ちゃらんぽらん」「えらい」などの浪花ことばが焼き付けてあります。大阪土産に最高！［はやし製菓本舗］

ことば入り煎餅《コトバイリセンベイ》

お菓子を贈るとき、「おめでとう」「ありがとう」「ほんの気持ち」「メリークリスマス」などの気持ちを添えますが、その伝えたいメッセージそのものや、おもしろ言葉が書いてあるお煎餅があります。箱を開けたとき、ほっこりした気持ちになり、お菓子を通しておしゃべりの花が咲きそう。

えびせんべい：母の日、父の日、クリスマス、バレンタインなど特別な日向けの激ウマえび煎餅。年によって変わるものもあります。［桂新堂］

コンビニ和菓子《コンビニワガシ》

コンビニは日本の文化といえる場所だと思います。コンビニごとに展開される和菓子には目が離せません。特に、夜遅く突然甘いものを食べたくなったときに嬉しい存在です。

1

2

1 雪苺娘（ゆきいちご）：冬季限定。求肥とホイップクリームに丸ごといちご。［山崎製パン］ 2 ふわふわ和風マシュマロ：中にはトロリと和風なきな粉クリーム。［竹下製菓］

右から、紅梅、初霜、紫陽花。季節を
感じさせてくれる上品な和菓子。

こまき

コマキ

北鎌倉の小さな和菓子屋さん。あまりにも有名で、鎌倉に行くと必ず足を運ぶという人も少なくありません。落ち着いたたたずまいの店内で和菓子とお抹茶をいただくと、鎌倉に来たことを実感します。上菓子は1日1種類しか作らず、売り切れたら店じまい。

円覚寺の白鷺池（びゃくろち）の緑が見える窓際
の席は特等席です。

金平糖《コンペイトウ》

カステラや有平糖と一緒に渡来したという説がある金平糖。小さな砂糖粒を長い時間と手間ひまをかけて大きくしていくことから、縁起物として結婚や出産の引き出物に好まれます。

金平糖：パッケージも素敵。［資生堂パーラー］

世界一小っちゃなコンペイトウ：星の砂みたい！［大阪糖菓］

さ

桜茶《サクラチャ》

塩漬けした桜の花びらにお湯を注ぐと、ふんわり桜の花が咲いて、春を感じさせるお茶です。「花開く」ことから、古くからお祝いの席で好まれて出されます。きれいなだけでなく、二日酔いにもよいそうです。

桜餅《サクラモチ》

桜餅には関東風と関西風があります。関東の主流は、クレープ状になった皮に餡を包んだ桜餅で、［長命寺桜もち］の初代・山本新六が考案したといわれています。関西の主流は、もち米を乾燥させて粗挽きにした道明寺粉を使った饅頭タイプ。道明寺のつぶつぶな食感が特徴です。

江戸時代から受け継がれる関東風。［長命寺桜もち］

つやつやの桜色にほっこりする関西風。［芳治軒］

酒饅頭《サケマンジュウ》

酒だねを繰り返し発酵させ蒸し上げた酒饅頭。せいろから立ち上る湯気に甘酸っぱい香り、買わずにお店の前を通り過ぎることはできません。皮はふっくらほくほく、芳醇《ほうじゅん》な酒の風味。

大阪市内の老舗で作られる酒饅頭は、香りよくモチモチした皮で美味。餡は、上品な甘さの備中大納言小豆の自家製こし餡。［高岡福信］

笹だんご《ササダンゴ》

よもぎ団子を笹で包んで蒸した笹だんごは、米どころ新潟では、田植えの季節に各家庭で手作りされていた伝統的なお団子。笹は防腐、殺菌効果があるといわれ、昔から食品の保存に使われてきました。

笹だんご：厳選された新潟産のお米を使用し、伝統的な製法を守っています。［田中屋本店］

しぐれ傘《シグレガサ》

大きな丸いどら焼きに柔らかい羊羹がはさまっている姿は、まるで傘を広げたよう。この傘を等分に切り、添えられている楊枝を足元から挿せば、愛らしいしぐれ傘に。思わずにっこり笑顔になります。

蕪村（ぶそん）が詠んだしぐれ傘の句にちなんで、［京菓堂利保］の二代目主人が考案した俳菓。

桜《サクラ》

どうして日本人は、桜という花にこんなに惹《ひ》かれてしまうのでしょう。春の関心事は桜前線の行方、桜の開花にお祭り騒ぎ。お花見に行けなくても、桜酒、桜チョコ、桜ケーキ、桜茶、桜あんぱんと街には桜スウィーツがあふれ、桜を感じることができます。つぼみから満開、そして散り際の美しさ、特に無常観を表現する和菓子には、日本人の桜への思いや美意識を感じます。

夜桜：桜が咲く時季だけ作られます。黒砂糖を使った羊羹を夜の闇に見立て、奥行を感じる満開の桜が何とも美しい。［末富］

さくら飴：可愛いピンク、桜葉塩漬けの粉末に飴の甘さが癖になります。［祇園小石］

しだれ桜：ういろうに白餡、なんと繊細で美しい曲線、グラデーションでしょう。［二條若狭屋］

桜の有平糖：まるでガラス細工のよう。日本人の美意識の高さを感じさせる可憐さ。［紫野源水］

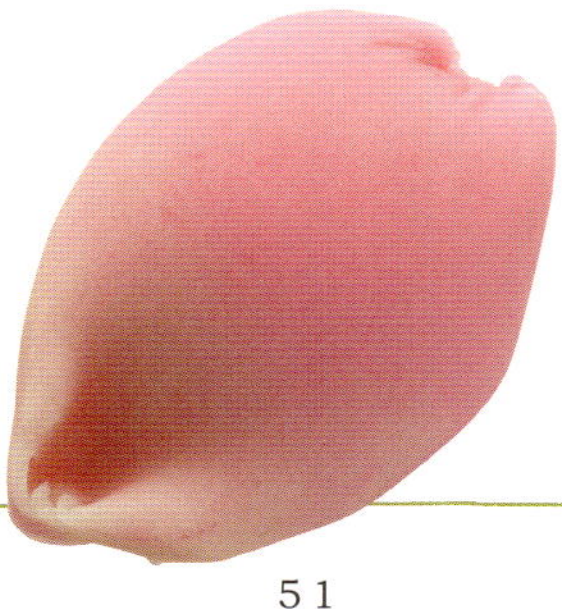

ひとひら：薯蕷煉切（じょうよねりきり）に白餡で桜の花びらを表現。お皿に置くと、散った花びらがお皿に舞い落ちたみたいで素敵です。［紫野源水］

鹿《シカ》

「鹿」は秋の季語、鹿の茶と白斑の模様を表す「鹿の子」は夏の季語で、古くから俳句や和歌で詠《よ》まれてきました。現在では奈良公園内にある春日神社の鹿が有名ですが、鹿は古来、神に仕える動物として親しまれてきました。奈良には鹿のモチーフの和菓子もいろいろあって、その愛らしさにハートを打ち抜かれます。

鹿サブレ：暮らしや雑貨の本をたくさん書いている石村由起子さんがオーナーのお店。鹿好きにはたまらない可愛さ。［くるみの木cage］

鹿印せんべい：手作業で１枚１枚焼き上げたお煎餅。可愛いだけではありません！［くるみの木cage］

はな鹿格子：かつて奈良では窓格子から鹿の姿が見えたとか。そんな光景がお菓子になりました。［なかにし］

奈良饅頭：焼印の鹿が可愛すぎ。けしの実の位置がいつも話題になるんです。［千代の舎竹村］

志ほがま《シオガマ》

宮城産のお米と和三盆や青しそなどを合わせた押し物で、宮城県塩竈《しおがま》市の銘菓。口どけのよさとともに、餅米のうまさ、ほんのり磯の香りが広がります。仙台駄菓子の一つとしても知られています。

志ほがま：しっとりモチモチとしています。［梅花堂］

実演《ジツエン》

京都にある鶴屋吉信の本店には、職人さんが上生菓子を作る過程を拝見し、できたお菓子をお抹茶とともにいただける菓遊《かゆう》茶屋があります。こし器で作られる繊細なきんとんや、へらなどを使って生み出される花の精緻な美しさ。その技は、一見の価値があります。

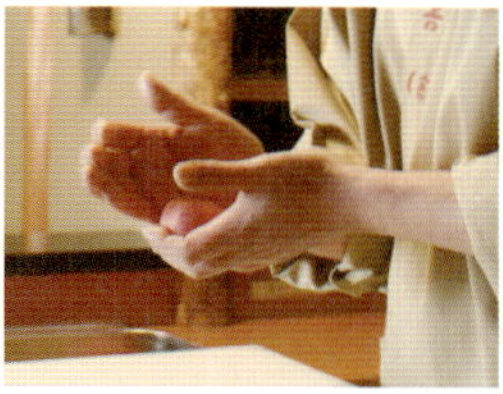

1 梅色に染めたこなしが、職人さんの手で花の形に。

2 こし器でこして、繊細なしべを作ります

3 花のくぼみに、しべをそっとのせて完成。

漆の菓子器に愛らしい梅の花が咲きました。1月はお福の抹茶椀で。

霜ばしら《シモバシラ》

まさに冬の霜柱を思い出させてくれる、情緒あふれるお菓子。お皿に並べて眺めたくなります。この美しい霜ばしら、ただの飴菓子ではありません。ガラス細工のような繊細さで、「食べる工芸品」といわれるほどの口どけです。

落雁の粉が雪のようで、嬉しくなってしまいます。［九重本舗玉澤］

薯蕷饅頭《ジョウヨマンジュウ》

薯蕷は山芋や大和芋などのことで、山芋を用いた皮に餡を包んで蒸したお饅頭。シンプルながら、「薯蕷饅頭の出来ばえでお店のすべてがわかる」といわれるほど、素材や技術を要する和菓子。上用饅頭と書くこともあります。

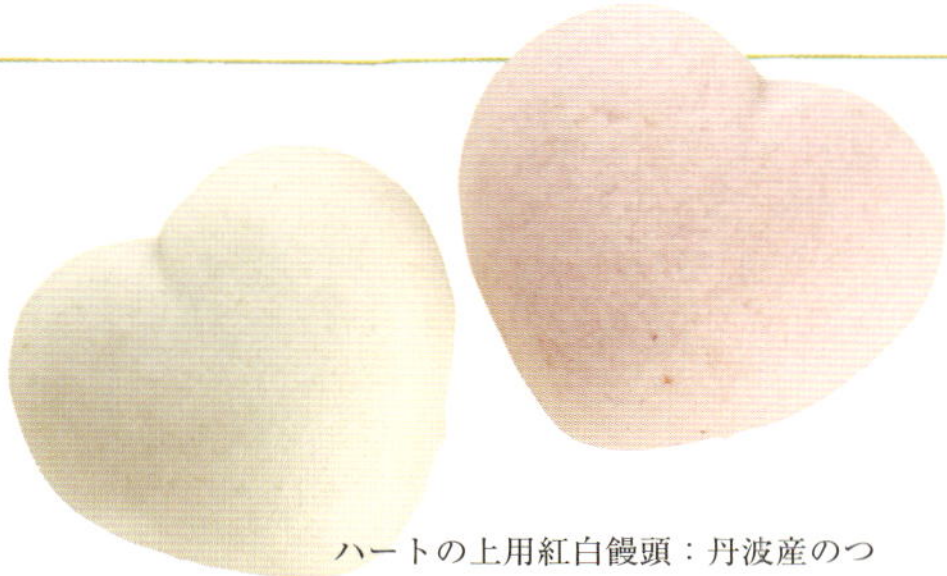

ハートの上用紅白饅頭：丹波産のつくね芋を用い、職人さんの手で丁寧に作られています。［笹屋昌園］

十二ヶ月《ジュウニカゲツ》

日本の文化は、四季の移り変わりを愛で、聴き、食し、感じることによって作られてきたように思います。実際、日本人は着物や帯、家のしつらえ、旬を大切にする食事と、衣食住に季節感を取り入れてきました。そして和菓子にも、技術だけでなく季節をうつしとる感性が求められます。

　このように四季折々の和菓子を前にすると、食べるのがもったいなくて、ただただ鑑賞していたくなってしまいます。（菓匠 花見）

一月
羽根つき

二月
春告鳥
（うぐいす）

三月
桜花

四月
三色すみれ

小さな花びらが可憐で、色使いが春らしい！

五月
花菖蒲

十月

紅葉

六月

七変化

七月

朝顔

十一月

山茶花

八月

夏休み

てんとう虫に朝露…。夏の朝を思い出します。

十二月

椿

花芯の繊細さところんとした形が可愛い！

九月

着せ錦

上生菓子《ジョウナマガシ》

上生菓子とは、その名のとおり、お茶席などで出されるような上品な高級生菓子のこと。特に茶席に出される上生菓子は、一つ一つ職人さんの手作りで、茶席で食べやすい大きさや姿形を意識して作られます。上生菓子は、和菓子の基礎的な技術はもちろんのこと、季節やテーマを取り入れる感性や表現力が必要といわれ、職人さんのセンスが問われるのだそうです。

上生菓子：上から夏衣、里桜、錦繍。［鶴屋吉信］

スポーツ《スポーツ》

スポーツをモチーフにした和菓子は、男性にも子供にも喜ばれること間違いなし。甘いものが苦手な人でも、思わず笑みがこぼれ、口にしてみようと思うはず。

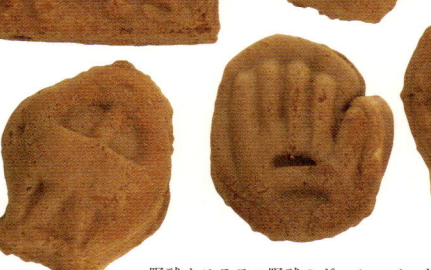

野球カステラ：野球のボール、バット、ミットなどをかたどっていて、懐かしい。［楠堂本家］

サッカーボールのねりきり：会話が弾みそうっ！［清風堂］

すあま《スアマ》

上新粉に砂糖を加えた、素朴でシンプルな味わいの餅菓子。江戸時代に流行したといわれています。縁起をかついで「寿甘」という漢字をあてて、紅白に色を染めてお祝い事に使います。ふんわりもっちりで、子どもからお年寄りまで優しい口当たりです。

©varts-Fotolia.com

栖園の琥珀流し《セイエンノコハクナガシ》

京都の老舗和菓子屋・大極殿本舗が経営する甘味処［栖園］。ここの名物はやっぱり琥珀流し。ゆるく大きい寒天に、季節のシロップをかけた冷たい甘味です。この寒天がキラキラと輝いていて、名前のとおり、琥珀のように美しいのです。

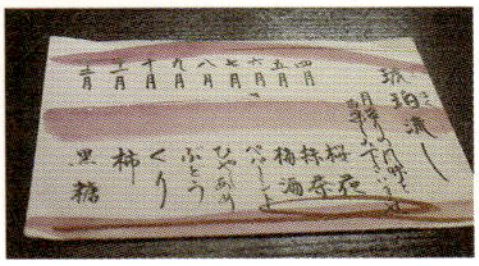

古都らしい町家と蔵の風情の店構え。4～12月まで月替わりでシロップが変わるので、訪れるたびの楽しみがあります。

西湖《セイコ》

「れんこんのお菓子?」と聞いて、どんな味なのか、その姿からも想像できないかもしれませんが、紫野和《むらさきのわ》久傳《くでん》の「れんこん菓子 西湖」は、れんこんのでんぷんに和三盆を練りこんで蒸した生菓子。味も和三盆の上品な甘さに、れんこんのモチモチした食感が想像以上においしいのです。

れんこん菓子 西湖［紫野和久傳］

仙台駄菓子《センダイダガシ》

駄菓子はもともと、雑穀、あんこ、水飴などを使い、庶民の保存食として作られた伝統的な郷土菓子。駄菓子という言葉は高級菓子に対する言葉として生まれ、庶民の白砂糖の使用が禁じられた時代、素朴で自然な甘さの駄菓子が職人の手によって作られました。仙台駄菓子は、漫画『美味しんぼ75巻』でも紹介されています。

1 ぶどうにぎり **2** えそべ **3** きなこねじり **4** 輪南京 **5** 梅子 **6** 千切 **7** かるめら焼き **8** 兎玉 **9** 青葉しぐれ：創業明治18年、［石橋屋］では90種類もの駄菓子を販売しています。

た

大学芋《ダイガクイモ》

さつま芋は古くから庶民の味方。ご飯のおかずでもあり、3時のおやつでもあり、和菓子でもある大学芋は、昭和初期に生まれました。

たい焼き《タイヤキ》

一口にたい焼きといっても、色、大きさ、姿形、餡の種類もさまざま。オーソドックスなたい焼きのおいしさはいうまでもありませんが、ご飯やポテト、チキンなどが入っているメシ系たい焼きの登場など、近年、たい焼きの進化ぶりからも目が離せません。

元祖白いたい焼き：白いたい焼きはもう定番になりつつありますね。［尾長屋］

ミニたい焼き：つぶ餡とチョコレートの2種類。［ギンザ プティカスタ］

たねや《タネヤ》

和菓子好きの人に「おすすめは？」と聞くと、必ず名前があがる滋賀の「たねや」。たねやの和菓子は派手さはありませんが、素材のよさが引き立つ優しい甘さ、色使い、どれをとっても日本の情緒が感じられる上品さです。

上生菓子：上から、野あそび、舞胡蝶（まいこちょう）、花のたより。［たねや］

日牟禮（ひむれ）八幡宮境内にある、近江八幡日牟禮ヴィレッジたねや。風情のある町家造り。

たまご《タマゴ》

和菓子には、いろいろな鳥のたまごに見立てたものがあります。そのシンプルながら可愛い形に、思わずにっこり。

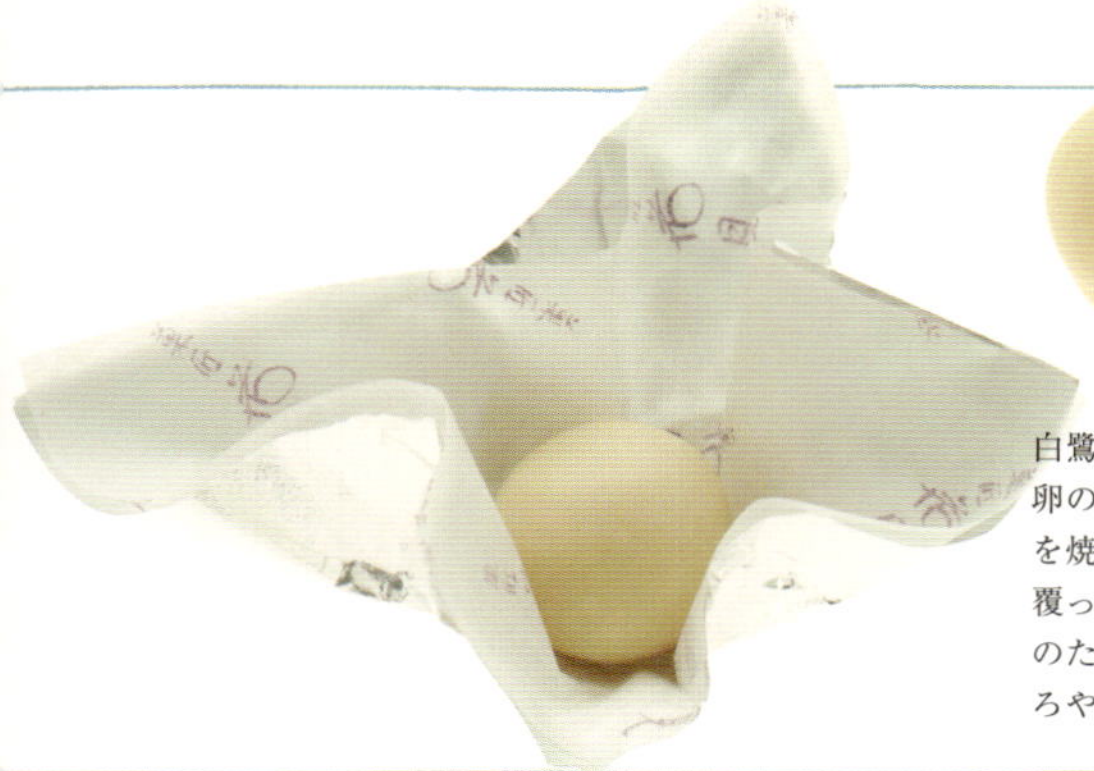

白鷺宝（はくろほう）：卵の黄味を加えた白餡を焼き上げ、ミルクで覆った白鷺（しらさぎ）のたまご。口当たりまろやか。［菓匠 花見］

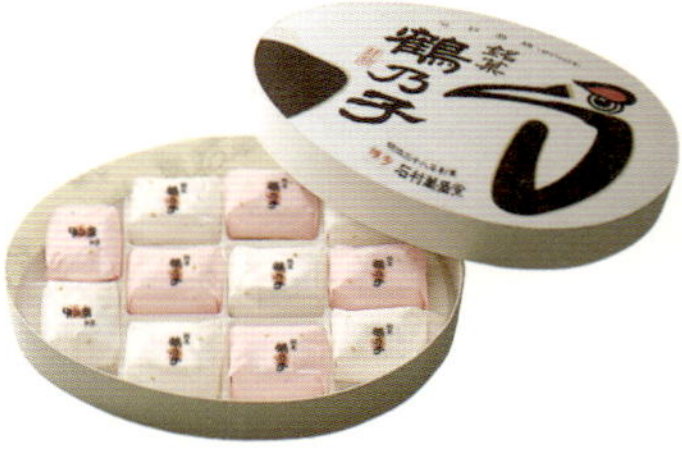

鶴乃子（つるのこ）：博多っ子おなじみの銘菓。マシュマロに包まれた黄味餡の鶴のたまご。［石村萬盛堂］

茶寿器《チャジュノウツワ》

「お干菓子でできている、食べられる抹茶茶碗」というだけで楽しくなってしまうけれど、ちゃんと数回、抹茶を点《た》てられるという本格派（？）。こういう遊び心にこそ、日本人らしさを感じます。このお茶碗に、州浜《すはま》団子・干し羊羹・季節のお干菓子がセットになっているので、贈り物にも喜ばれそう。

京都の老舗［甘春堂］の二代目が考案しました。

団子《ダンゴ》

「団子」といっても、その種類はたくさん！　甘味という位置づけだけでなく、おそらく補助食としても、お団子ほど古来、日本人に馴染《なじ》みの深い和菓子はないのではないでしょうか。

羽二重団子

多くの文人に愛されたことでも有名。しょうゆとあんこがあります。［羽二重団子］

追分団子

青梅街道と甲州街道の分岐点・新宿追分にあったことからその名がつきました。［追分だんご本舗］

言問団子

言問団子のマーク入りミニタオル。可愛い！

茶色、黄色、白のまん丸な可愛らしい３個がセットに。［言問団子］

みたらし団子

あぶり焼きした団子は、地方によって３つ～５つと数が違います。

©playwalker-Fotolia.com

草団子

よもぎの香り高い団子に餡やきな粉をまぶして。東京では柴又名物。

©haru-Fotolia.com

花見団子

お花見気分を盛り上げてくれる３色のパステルカラーが可愛い。

©安ちゃん-Fotolia.com

千代重《チヨガサネ》

薯蕷《じょうよ》の皮と栗餡、黄味餡、小豆餡が七重にも美しく重なった、リブランの薯蕷饅頭。喜びが幾重にも重なっていく縁起のいいお饅頭として、とても人気です。

切る前は普通のお饅頭。切ったら、思わず「ワァ～」と声をあげてしまう鮮やかさです。

チョコレート《チョコレート》

老舗和菓子店や日本茶専門店などから、抹茶、お餅、最中、小豆、きな粉など和の食材を使ったチョコレートが続々と登場しています。チョコレートと和菓子のハーモニーだけでなく、見た目にも和の上品さを兼ね備えています。

月見団子《ツキミダンゴ》

月見の習慣は中国から伝わり、古くから旧暦の8月15日（現在の暦では9月）にお月見の宴が行われてきました。お供えには、関東では丸い小さな団子をピラミッドに重ねますが、関西では里芋型の団子にあんこをかぶせたものを飾ります。

1 北の生ショコラもち：ふわふわのお餅の中からチョコレート。［ほんま］2 どんぐりころころ：最中皮にコーヒーチョコが。［六花亭］3 上生しょこら：上生菓子に見える美しさ。味もバランスが絶妙です。［山陰とれたて本舗］

©Tsuboya-Fotolia.com

辻占《ツジウラ》

江戸時代、吉凶を占う札を売り歩く辻占売りがお煎餅などと一緒に売ったのが辻占いの始まりで、年の瀬にお菓子屋さんがお客さんに縁起物として配ったそうです。

辻占福寿草：風車みたいなもち米煎餅の中の言葉は、明治時代に書かれた謎かけ本から取ったそうで、あれこれ解釈できて楽しいです。［落雁諸江屋］

椿《ツバキ》

花の季節は雪どけの頃。冬から春にかけて、さまざまな色の椿の練り切りなどをお店で見かけます。江戸時代、二代将軍徳川秀忠が椿が好きだったこともあって園芸が大流行し、この頃、数百種類もの椿を集めた『椿花図譜《ちんかずふ》』や『百椿図《ひゃくちんず》』などの書物が制作されたほどです。

糊こぼし：東大寺お水取りゆかりの、とろけるような可憐な椿。［萬々堂通則（まんまんどうみちのり）］

つやぶくさ《ツヤブクサ》

生地を焼くと表面にぽつぽつと気泡が開き、焼いた面を内側に餡を包んだつやぶくさ。地方によって「つやふくさ」「ちゃぶくさ」など呼び名がいろいろだそうですが、あんこを袱紗《ふくさ》包みしていることから、その名がついたとか。

吉祥椿：焼皮製のつぶ餡のお菓子です。椿の繊細な花芯、花びらの色彩が美しい。［鶴屋吉信］

黒糖ふくさ餅：ふんわりふくらんだ皮に、求肥をあんこで包んであります。［村上］

鶴《ツル》

鶴は長寿を象徴する、とても縁起のいい動物として、亀とともに親しまれてきました。長寿のお祝いだけでなく、夫婦鶴は一生連れ添うことから、夫婦円満を祈って結納や結婚などのお祝いにも使われます。

1 福鶴［菓子処ひらい］2 笑顔上用［京都鶴屋鶴壽庵］どちらもめでたさが伝わってきます。

出町ふたばの豆餅《デマチフタバノマメモチ》

いつも行列ができている、京都で一番人気の豆餅。並んでも食べたいといわしめる人気の秘密は、なんといっても、柔らかなお餅、塩味のきいた赤えんどう、程よい甘さのこし餡の絶妙なハーモニーでしょう。

豆餅［出町ふたば］

手焼き煎餅《テヤキセンベイ》

「どんなお煎餅が好き？」と聞かれると、私は「少し薄焼きのしょうゆ味」と答えます。厚すぎても薄すぎても、硬すぎてもいやで、おしょうゆは少し濃いめが好き。こんなふうにお煎餅は、味はもちろんのこと、厚さ硬さでカリッと食べたときの歯ごたえなど、好みの分かれるものです。

しょうゆせんべい、ごませんべい：備長炭の微妙な火力調整が必要で、焼き具合は職人の腕次第です。［喜作］

道具《ドウグ》

木型、抜型、細工はさみ、裏ごし器、木べら、焼印……和菓子を作るための道具には派手さはないですが、美を生み出す職人さんの腕と技を支えています。

木型

お干菓子などの打ち物や練り切りなどに使います。

こし器

花のしべなど、そぼろ状のきんとん作りに使います。

三角棒

花の芯や、押し棒の角で花びらなどを作ります。

抜型

洋菓子のものよりも繊細で筒の部分が長めです。

とらや《トラヤ》

とらやを抜きにしては和菓子の歴史を語れないほどの老舗ですが、時代を見据えてお菓子を作り続けているところがすごいと思います。自分だけのオリジナルの和菓子を作ってくれるサービス「虎屋和菓子オートクチュール」や、和菓子だけでなく和の魅力を広く発信する東京ミッドタウン店など、目が離せません。

和菓子のほかにも、風呂敷、あづま袋、一筆箋など、和菓子にちなんだ雑貨を販売しています。

季節の羊羹 雲井の桜：春の日差しの中、宮廷の庭に咲き誇る桜を表した羊羹です。[とらや]

どら焼き《ドラヤキ》

関東ではどら焼きですが、関西方面では「三笠《みかさ》」。どらは船の銅鑼《どら》の形から、三笠は、百人一首の歌にちなんで三笠山に見える満月をイメージしているといわれています。

どら焼：独特の円柱型。140年間守られてきた製法で作られた秘伝の皮はもっちもちです。[笹屋伊織]

どら焼き：良質な材料を使い、品のよい甘さです。[末廣屋喜一郎]

どら焼：大きくてふっわふわ！　触ってもかぶりついても、その柔らかさに驚きます。黒餡と白餡の２種類あり。[亀十]

鳥《トリ》

鳥をモチーフにした和菓子は、その姿形の愛らしさはもちろん、飛び立つ姿に縁起のよさを感じさせ、季節の移り変わりを感じさせてくれます。鳥の文様は着物でもとても多く使われていて、私も大の鳥好き。うぐいすに梅、水鳥ならおしどり、竹に雀、稲穂に雀、波千鳥、初雁《はつかり》、つばめなど、鳥モチーフが大好きなので、和菓子でもつい鳥には反応してしまいます。

鳩合わせ最中：善光寺と縁の深い鳩をかたどった最中。４色の色どり鮮やかなお豆が入った白餡を自分で入れます。［九九や旬粋］

ちどりらくがん：千鳥は、どうしてこんなに乙女ゴコロをくすぐるのでしょう。［先斗町駿河屋（ぽんとちょうするがや）］

湖水春望：水鳥をイメージした淡い緑青色と白の美しい色合いの上生菓子。［たねや］

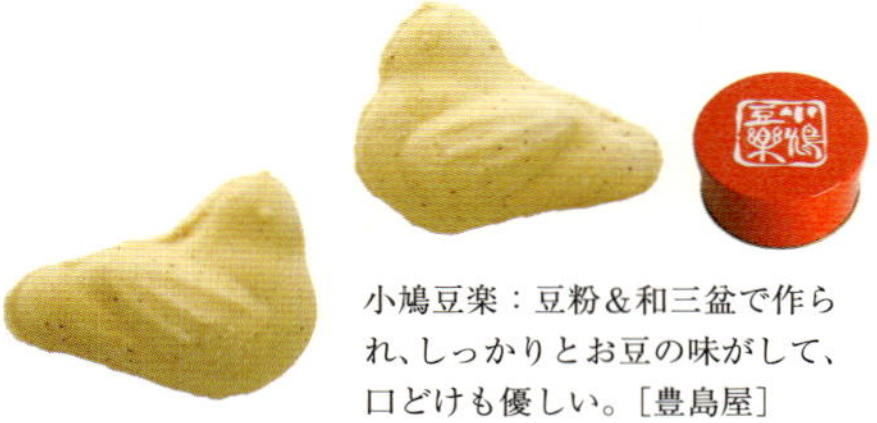

小鳩豆楽：豆粉＆和三盆で作られ、しっかりとお豆の味がして、口どけも優しい。［豊島屋］

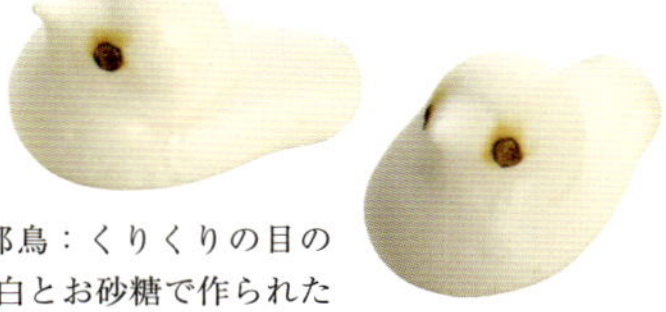

雪たる満 都鳥：くりくりの目の都鳥は、卵白とお砂糖で作られたメレンゲ菓子。［奈良屋本店］

鳰の浮巣（におのうきす）：鳰とはカイツブリという水鳥のこと。可愛いだけでなく、とってもおいしい葛湯です。［長久堂］

熱湯を注ぐと水鳥が！

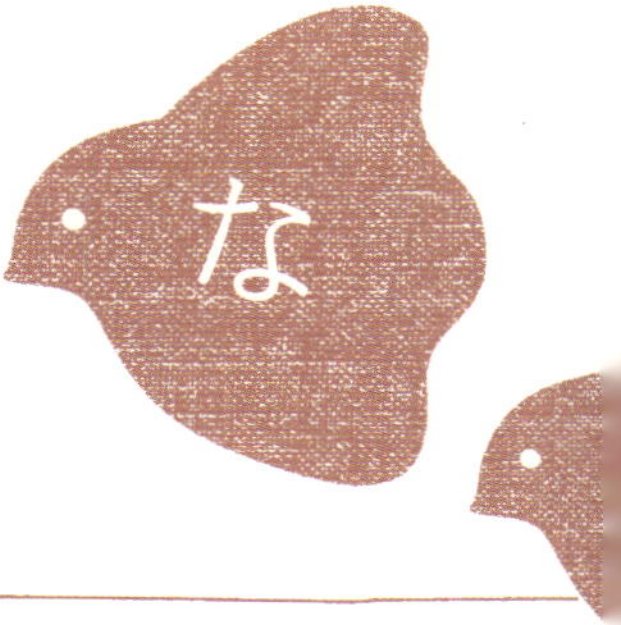

流れ梅《ナガレウメ》

流れ梅［新潟大阪屋］

新潟の夏といえば［新潟大阪屋］の流れ梅。見た目にも涼やかで、さっぱりとした梅の味がのどを通ります。葛切りの中に小粒の青梅が2個。梅シロップは生果汁で、梅の香りがおいしさを引き立てます。氷を1個浮かべてみると、また少し味わいが違って感じられ、凍らせてシャーベットにしてもおいしいです。

南蛮菓子《ナンバンガシ》

肥前ケシアド：佐賀の［鶴屋菓子舗］には、ポルトガルのチーズ菓子を参考にした作ったお菓子の記録が残っています。当時は入手困難だったチーズの代わりにかぼちゃ餡を使ったそうですが、それをチーズにかえた南蛮菓子です。

金平糖、カステラ、ボーロ、カラメル、タルト、有平糖など、室町時代末期から江戸時代にかけて、ポルトガル・スペイン・オランダなどから伝わった菓子のこと。キリスト教の布教に利用され、キリスト教の伝来と大きくかかわっています。それまでの日本では珍しかった白砂糖や卵を使用していることが特徴です。

ざびえる：フランシスコ・ザビエルの功績をたたえて作られた大分銘菓。バター風味の洋風生地に、白餡、ラム酒に漬けたレーズンを刻みこんだ餡の２種があります。［ざびえる本舗］

日本最古の和菓子《ニホンサイコノワガシ》

奈良時代、遣唐使によって中国から仏教とともに伝わった「清浄歓《せいじょうかん》喜《き》団《だん》」。天台宗・真言宗などの密教のお供え物です。このインパクトのある名前と形、しかも日本最古のお菓子と聞けば、誰もが一度は食べてみたいと思うはず。胡麻油でカリカリに揚げてあり、清めの意味を持つ7種の香を入れて包まれています。

清浄歓喜団：割ると薬膳のような香りが漂います。[亀屋清永]

日本三大饅頭《ニホンサンダイマンジュウ》

福島県・柏屋の薄皮饅頭、東京・塩瀬総本家の志ほせ饅頭、そして岡山県・大手饅頭伊部屋の大手まんぢゅうが、日本三大饅頭といわれています。

大手まんぢゅう

こうじから作るため、甘酒のような甘い香りがします。

薄皮饅頭

その名のとおり皮が薄く、あんこたっぷり。温泉饅頭のルーツといわれています。

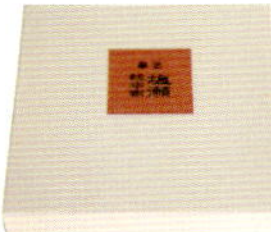

志ほせ饅頭

室町時代から伝わる塩瀬饅頭が前身。日本初のあんこ入り饅頭といわれます。

日本三大銘菓《ニホンサンダイメイカ》

日本の三大銘菓といわれているのが、新潟・大和屋の越乃雪《こしのゆき》、金沢・森八の長《ちょう》生殿《せいでん》、そして博多 松屋の鶏卵素麺《けいらんそうめん》。そういわれるのは、食べてみたら納得できるはず。上質な和三盆の甘さ、口の中に入れたとたんほろほろとくずれる越乃雪、餅米粉と和三盆の口どけのよさがすばらしい長生殿、そして鶏卵素麺は砂糖と卵黄だけで作られた、ポルトガルから伝わった南蛮菓子です。

越乃雪

空気がたっぷり入っていてふわふわ。

長生殿

お皿に盛りつけたときの上品さが際立ちます。

鶏卵素麺

本当の素麺のように繊細です。

日本酒《ニホンシュ》

ブランデーやラム酒を使った洋菓子はよくありますが、日本酒を使った和菓子もあるのです。日本酒が入ることでコクが出るのと、大人の香りが魅力です。甘いものが苦手な人にも、男性にも喜ばれる和スウィーツです。

伏見の地酒日本酒ぼんぼん：かりかりっとすると口の中に日本酒が広がります。［フランス屋］

深山菊地酒ゼリー：夏にキーンと冷やして食べたい。［舩坂酒造店］

こづちロール　酒かすクリーム：純米吟醸酒粕に生クリームをたっぷり。［福光屋］

日本茶の種類《ニホンチャノシュルイ》

古来、和菓子と日本茶は切っても切れない関係。和菓子を食べるとやっぱり日本茶が飲みたくなります。日本茶は和菓子のよきパートナーであり、数ある種類を知ると和菓子がもっとおいしくなります。（茶葉は山利屋）

抹茶

和菓子の甘さを引き立ててくれます。

上煎茶

甘み、渋みに加え旨みも感じられます。

煎茶

渋みとさわやかな香りとのどごし。

茎茶

新芽の茎だけを抽出したお茶。上品な甘み。

玄米茶

うるち米などの香ばしい香りが特徴。

ほうじ茶

香ばしい香り、ほっこり優しいお茶。

番茶

二番茶以降に摘まれた茶葉。さっぱり。

日本茶のおいしい淹れ方《ニホンチャノオイシイイレカタ》

和菓子をよりおいしくいただくため、日本茶の淹れ方にもこだわりたい。ポイントはお湯の温度と注ぎ方。ゆっくりと、丁寧に淹れたいもの。まずは煎茶の煎れ方の基本を。

1 約90℃のお湯を注ぎ、適温に冷ましつつ湯飲みを温めます。

2 ティースプーン中盛り2杯ほどの茶葉を急須へ入れます。

3 湯飲みのお湯を急須に入れ、茶葉が開くまで1分ほど待ちます。

4 2つの湯飲みに少しずつ交互に、最後の1滴まで注ぎきります。

5 お茶のアロマを味わって、和菓子と一緒にいただきましょう。

おススメは、和香園の「栄西物語」。

野点ごっこ《ノダテゴッコ》

古くから茶道のスタイルの一つとして親しまれている野外でのお茶会「野点」。和菓子屋さん巡りのゴールを公園にして、ピクニックのように楽しんでみるのも一興です。携帯用の野点セットもたくさん登場しているので、水筒にお湯を入れてお出かけしてみませんか。

ジム・トンプソンシリーズのティーセットバッグがあれば、どこでも野点ができます。[柴橋茶道具店]

1 ピクニックシートを広げ、茶碗や茶筅をセット。

2 お散歩がてらに求めたお菓子をまず。

3 広々とした気持ちよさに会話も弾みます。

column

和菓子な本・ゲーム

和菓子好きならきっと興味を持てる本や漫画、ゲームなど。和菓子をもう一歩深く知り、もっともっと楽しんでしまいましょう。

絵本

和菓子の材料や道具、季節や行事の和菓子の解説も。『和菓子の絵本』平野恵理子（あすなろ書房）

四季折々の和菓子をやさしい解説で紹介。『和菓子のほん』中山圭子文／阿部真由美絵（福音館書店）

本

全国の和菓子を都道府県別に紹介。歴史、文化、お菓子の風土記。『日本銘菓事典』山本候充編著（東京堂出版）

子ども向けに書かれているのに充実した内容で大人にも。『和菓子の絵事典』俵屋吉富／ギルドハウス京菓子京菓子資料館監修（PHP）

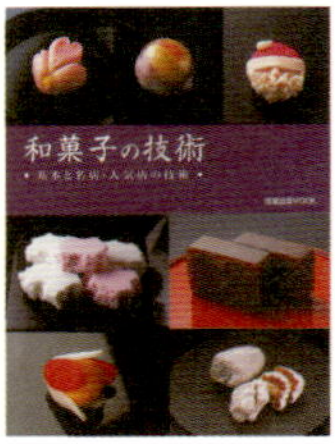

作り方から歴史まで、和菓子の名店が公開する秘伝の技術。『和菓子の技術』（旭屋出版）

ゲーム

和菓子屋を経営する恋愛シミュレーションゲーム「SIMPLE2000 シリーズ vol.98 女の子専用 THE 浪漫茶房」。（ディースリー・パブリッシャー）

漫画

あんこ好き必読。江戸和菓子職人の成長を描く『あんどーなつ』西ゆうじ作／テリー山本画（小学館）

京都老舗和菓子屋の三姉妹にまつわる和菓子と恋模様。『福家堂本舗』遊知やよみ（集英社）

column

和菓子な包み紙

デザイン的にすばらしかったり、
お店のこだわりを感じられたり。
包み紙も捨てられません。

©きいち／小学館

紙袋

萬年堂の紙袋は、「きいちのぬりえ」で有名な蔦谷喜一の花嫁さんの絵で、裏を返すと塗り絵として遊べます。可愛い！

昔の包み紙

昭和前半の頃の和菓子の包み紙。今使っても全然古くさくないデザインで、ちょっとレトロで素敵。

現在の包み紙

古い和菓子屋の絵や古地図など、現在の和菓子屋さんの包み紙も味があるものばかり。お気に入りはコレクションにしたり、可愛い包み紙でぽち袋を作ったりも。

（上段右から）鍵善良房、万年堂、芳治軒、萬々堂通則、長崎堂（中段）風流堂、羽根さぬき本舗、千代の舎竹村、末富（下段）お菓子の香梅、落雁諸江屋、大極殿本舗

は

米粉を蒸して作られ、白、ニッキ、抹茶の３色。もっちりとした食感と昔ながらの素朴な甘さ。

鳩もち《ハトモチ》

小野小町が遣隋使として隋へ渡り、帰国したあとに建立したといわれる京都・三宅八幡宮は、古くから子どもを病から守る虫封じの神様として親しまれています。ここでは鳩を神様と祀《まつ》り、鳥居の両脇には狛犬《こまいぬ》ではなく狛鳩、境内のあちこちで鳩があしらわれています。その狛鳩をモデルに作られた、双鳩堂《そうきゅうどう》の鳩もちです。

花びら餅《ハナビラモチ》

お正月を代表する和菓子として知られる花びら餅は、明治時代に京都の「川端道《かわばたどう》喜《き》」が初めて作ったといわれています。おいしさはもちろんですが、白い羽二重餅で、ひし形の紅色の羽二重餅とみそ餡、ごぼうを包み、紅色がうっすら見える色合いが美しい。

御菱葩（おんひしはなびら）：［川端道喜］

ばら《バラ》

ばらは昔から女性が大好きなモチーフ。青森の若い女性の和菓子職人が作っている、練り切りのばらです。ケーキスタンドに置いても素敵で、今までの和菓子のイメージとは違います。乙女ちっくで女の子へのプレゼントに最適。

DREAM ROSE：色違いのばらが４種。パーティーや手土産にも。［甘美堂 kanbidou plus s］

1

2

3

芭蕉の俳菓《バショウノハイカ》

俳菓とは俳句にちなんだ菓子のことで、俳句からイメージして作られます。松尾芭蕉が詠んだ『奥の細道』にちなんだ俳菓を紹介しましょう。

1 わせの香：富山の地で詠んだ「早稲の香や分け入る右は有磯海」から。［竹泉堂］ 2 さまざま桜：花見の宴で詠んだといわれる「さまざまの事想い出す桜かな」から。［紅梅屋］ 3 たばしる：大津の石山寺で詠んだ「石山の石にたばしる霰（あられ）かな」から。「たばしる」は激しく飛び散るという意味で、石に霰が飛び散る様子から大きな小豆がごろごろと入っています。［茶丈藤村］

浜土産《ハマヅト》

はまぐりの貝を開けると、黄金色の琥珀かんがきらきらと光って美しい。浜納豆を一粒浮かべた夏の銘菓「浜土産」は、京都・亀屋《かめや》則克《のりかつ》のもの。

防腐効果のある桧（ひのき）の葉でくるんで、磯馴籠（そなれかご）に入っています。夏の贈り物にも喜ばれそう。

パンダ《パンダ》

動物モチーフのお饅頭はいろいろありますが、もう見ただけで癒されるパンダのお饅頭。こんなにパンダに見つめられたら、食べられない！ 女性や子どもたちの集まるときにパンダがテーブルに並んだら、間違いなく盛り上がります。

和やかぱんだ：直径3.5cmとミニサイズで食べやすく、ぎっしりつまった餡につややかな皮、ついつい食べ過ぎてしまいます。［浪越軒］

ひな祭り《ヒナマツリ》

女の子の健やかな成長を祝い、幸せを祈る行事・ひな祭りには、ちらしずし、はまぐりのお吸い物のほか、ひなあられやひし餅に甘酒を用意します。三層になったひし餅は古来、ひし形は魔よけの意味があることから、ひな祭りには欠かせない和菓子です。

ひと口果子《ヒトクチカシ》

モダンなしつらえで伝統和菓子を提供する「HIGASHIYA」。ひと口果子は、さまざまな餡に果実のコンポートや木の実を組み合わせた、ひと口サイズの和菓子です。風味豊かで、日本茶はもちろん、お酒に合わせても楽しめます。

ひと口果子［HIGASHIYA］

1

2

干菓子《ヒガシ》

和三盆、落雁、有平糖、干錦玉《ほしきんぎょく》、生砂糖など、乾いたお菓子のこと。日本の季節感や花鳥風月を表現した美しいお菓子です。水分が少ないので日持ちがするのが特徴。お茶席では、お薄《うす》のお菓子としてお干菓子、お濃茶《こいちゃ》のお菓子には生菓子が用いられます。お干菓子は懐紙に取り、手で持っていただきます。

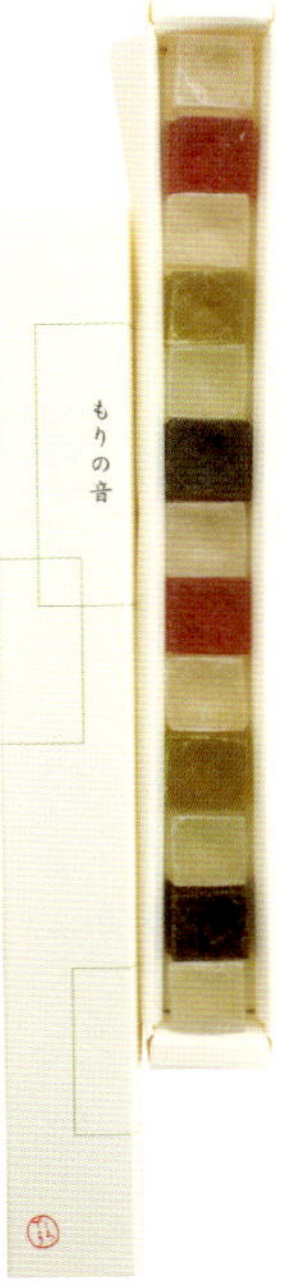

3

1 羽根さぬき：ひと粒ずつ丸めた讃岐和三盆糖を和紙で包んだ、キャンディみたいな和三盆。絹のような口どけです。［羽根さぬき本舗］
2 四季の華：箱を開けると、四季折々の美しい和三盆がぎっしり。［羽根さぬき本舗］ **3** もりの音：小さなキューブでとっても可愛い。カリッとかじると柔らかい寒天がはじけます。［茶菓工房たろう］

氷室《ヒムロ》

氷室は、冷蔵庫のなかった時代に氷を保管しておくための穴室のこと。和菓子では、氷をイメージした透明感のある涼しげな夏のお菓子につけられる菓名です。

氷室：寒天とお砂糖を煮詰めた琥珀糖を固めたお菓子。まるで氷砂糖かドロップのような可愛らしい色合い。［三英堂］

ふうき豆《フウキマメ》

縁起のよい「冨貴豆」と書くこともあります。山形の代表的な銘菓で、青えんどうを丁寧に丁寧に炊き上げた豆菓子。お豆の皮も取り除かれていて、口の中でとろけるように崩れていく柔らかさ。豆本来の甘みと香ばしさが絶品です。

白露ふうき豆：地元の人に愛され「ここは別格」という人が多い。豆なのに口どけが抜群な生菓子なのです。［山田家］

富士山《フジサン》

羊羹の生地の色などで山の四季折々を表現したものや、有名な「三笠山」など、山にちなんだ和菓子はいろいろあるけれど、中でも富士山は、いつの時代も日本人にとって特別な山。

はまなし：実際に富士山５～８合目に群生するはまなしの実を採取して作っています。なんだか幻想的な雰囲気のゼリー菓子です。［金多留満］

富士山羊羹：季節バージョンが豊富で、これは夏富士と抹茶風味。［金多留満（きんだるま）］

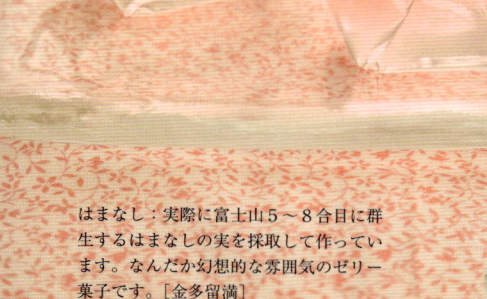

麩饅頭《フマンジュウ》

生《なま》麩《ふ》は禅寺の発展と広がりとともに作られ、精進料理などに使われてきました。麩饅頭は生麩で餡を包んだ、生菓子の一つ。柔らかでしっとりした食感、笹と磯の香りが人気の秘密です。

麩饅頭：京都の生麩専門店の麩饅頭はモチモチの食感、取り出すと笹の香りが漂い、食べると青のりの風味が楽しめます。［麩嘉（ふうか）］

不老泉《フロウセン》

長寿をお祈りして年配の方へ、療養中の方へのお見舞いにも喜ばれる「二條若狭屋」の不老泉は、とろりとおいしい葛湯です。とはいえ、大正時代からずっと同じマッチ箱みたいなパッケージがレトロ乙女ちっくで、パッケージ買いをする女性も少なくありません。

紙箱の絵柄によって中身が違い、雪が真っ白の葛湯、月は抹茶、花は善哉（ぜんざい）の3種類です。善哉と抹茶は、お湯を注ぐと千鳥とあられが浮かんできます。

牡丹《ボタン》

和菓子のモチーフとして牡丹を見かけるようになるのは、5月頃から夏にかけて。花芯の黄色、大ぶりなピンクの花びらをイメージして作られる上菓子はとても華があります。盛夏には「水牡丹」という葛饅頭も登場。半透明な葛からピンクの餡が透けて見えて、涼やかで上品です。

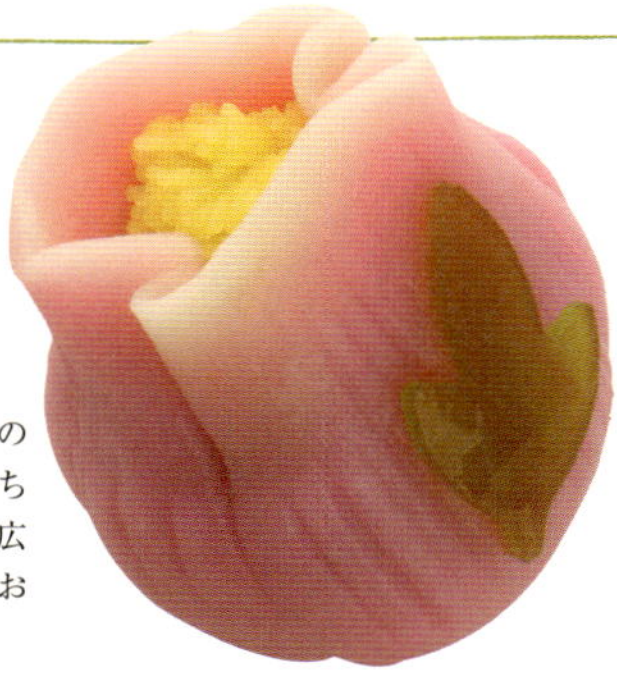

寒牡丹：練り切りの冬の牡丹。春を待ちきれず、つぼみを広げるさまが可憐。［お菓子の香梅］

フルーツ丸ごと《フルーツマルゴト》

果物を丸ごと餡で包んだり、そのまんまをお菓子にしてしまったり、大胆で楽しい丸ごと果実菓子。旬のおいしさを閉じこめた自然の甘さがたまりません。フルーツ丸ごとなので、ヘルシーです。

1

2

3

4

5

1 薄紅（うすくれない）：酸味のある紅玉を砂糖水で煮てドライに。［おきな屋］ 2 蜜柑丸漬け：白餡の羊羹入り。柑橘類特有の苦味がアクセント。［長州屋光圀］ 3 ふく栗：本当の栗のよう！　こし餡と栗餡に栗を包みこんだ贅沢さ。［二条若狭屋］ 4 トマト大福：ミニトマトとトマト餡を詰めた珍しい大福。冷やすとさらに美味。［岡乃家］ 5 宝賀来（たからがき）：柿の素朴な甘さが◎。菓名も素敵でお土産にしたい。［つちや］

ホテルで和菓子《ホテルデワガシ》

ホテルといえばケーキにコーヒー・紅茶を思い浮かべますが、和菓子と抹茶セットをいただけるホテルがあります。厳選した和菓子を取り寄せていて、茶室や和カフェとは、また違った雰囲気でおいしい和菓子がいただけるのが魅力です。

クラシックな雰囲気満点の奈良ホテルでは、ティーラウンジで、奈良の老舗「なかにし」の和菓子と抹茶のセットがいただけます。

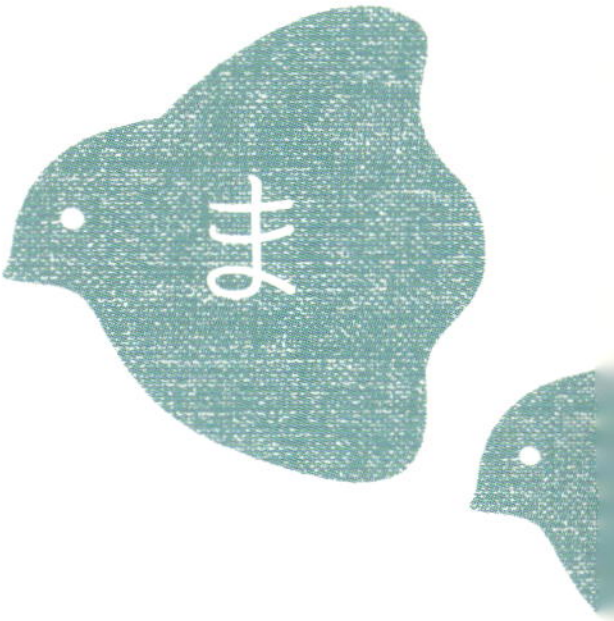

抹茶のおいしい点て方《マッチャノオイシイタテカタ》

「茶道」と言葉にすると難しく感じてしまうけれど、抹茶を点てるのは、ちょっとした気分転換に最適です。本格的な道具や作法がわからなくても大丈夫。和菓子の甘さと抹茶のほろ苦さのベストマリアージュを、日常でたくさん味わいましょう。

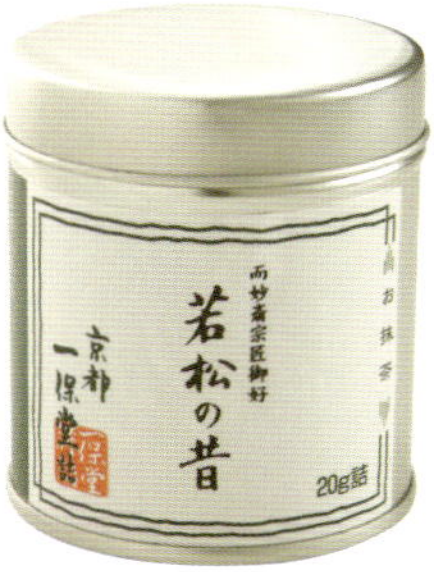

おススメは、一保堂茶舗の「若松の昔」。

1 茶碗・茶筌(ちゃせん)・茶杓(ちゃしゃく)に抹茶の茶入れを用意します。置き方はそのときの気分。自己流でOK。

2 お湯を入れ温めておいた茶碗をよく拭いたら、茶杓で抹茶を1杯半、ティースプーンなら山盛り1杯。

3 80℃くらいの適温にしておいたお湯を、茶碗へ。3分目くらいが適量です。

4 茶筌で、抹茶とお湯をまんべんなく混ぜ合わせます。細かく上下に動かし、最後は表面に「の」の字を書くようにして茶筅を引き上げて。

5 泡で三日月ができるくらいに仕上げましょう。

抹茶ミルクの素《マッチャミルクノモト》

顆粒の抹茶ミルクはいろいろ出ていますが、［京はやしや］さんのはちょっと違います。ミルクで入れても薄くならず上品な抹茶の苦味がして、甘さもほどほどでよい塩梅。ホットでもアイスでもおいしくて、お気に入りです。

思わずパッケージ買いしてしまうほど！

松の露《マツノツユ》

メレンゲ好きなら絶対食べてほしい［浅野耕月堂］の松の露。松林に自生する松露《しょうろ》というきのこに土がかかったかのように、メレンゲ菓子にコーヒーが振りかけられていて、サクッとしてふわっと溶けていきます。創業以来変わらない製法で、作り置きはせず、1日で作る分だけの販売だそう。

松の露［浅野耕月堂］

豆菓子《マメガシ》

豆菓子はどんなコーティングや味つけがしてあっても、やっぱりお豆の味がどこまで引き出されているかがカギ。豆菓子専門店［豆徳］は、豆菓子バリエーション60種類以上。看板豆菓子は「元祖・竹炭豆」。日本で最初に竹炭を使用したお菓子で、お味は甘辛しょうゆ味です。

1 梅干豆 **2** 抹茶みるく豆 **3** 竹炭豆 **4** 甘ーい紫蘇豆 **5** 和三盆糖豆 **6** 金粉豆 **7** 紅白大豆 **8** いわし豆 **9** のり大豆。

豆大福：東京三大豆大福の一つと必ず名前が上がる絶品。開店前から行列ができ、午後には売り切れてしまうことも。たっぷり大きめなのにまた食べたくなります。［瑞穂］

豆大福《マメダイフク》

ふわふわの餅、程よい甘さのこし餡、大粒の豆の塩加減、それぞれの素材のうまさをしっかり主張しながらも、一つにまとまったときのハーモニーが豆大福の魅力。シンプルな素材であればあるほど、職人さんの腕がものをいいます。

豆落雁《マメラクガン》

福井県敦賀《つるが》の銘菓で、大豆の粉に砂糖や水飴などを混ぜた押し物。中でも「お多福」は、氣比《きひ》神宮の御祭神、神功《じんぐう》皇后をかたどったものといわれています。敦賀では、お茶うけだけでなく、節分に使われることもあるそう。口どけがよく、お豆の香ばしさが口の中で一気に広がります。

豆らくがん：厄除招福。このお顔を見れば、誰もが笑顔になれます。［笑福堂］

水飴《ミズアメ》

米や芋などに含まれるでんぷんから作られ、粘りがあってしっかり水気を保つので、和菓子ではよく使われる素材です。もちろん、そのまま飴としても。

附子（ぶす）：ミュージアムショップで限定販売している亀屋伊織の水飴。「附子」は狂言で有名な演目です。狂言ではお砂糖ですが、こちらは水飴。優しい甘さで驚きます。［細見美術館］

じろあめ：金沢で一番古い飴屋さん。良質の米と大麦だけで作った、穀物の優しい甘さが特徴。［俵屋］

黄色はレモン味の錦玉入り。

1 紙ふーせん：コロンと丸いサクサクの最中種に、色とりどりの錦玉が。［菓匠高木屋］2 さざえ最中：南房総名物さざえの中は小豆餡、白餡、青のりを混ぜた青のり餡。［盛栄堂］3 ふくらすずめ最中：ふくらすずめは、雀が羽を広げてふくらんでいる姿。羽の先まで餡がぎっしり。［水田屋］4 景気上昇最中：黒字転換を願って中身は「黒」い黒糖餡。仕事関係の方に喜ばれそう。［新正堂］

最中《モナカ》

現在のような、お餅から作られた皮に餡をはさんだ最中は、江戸時代、満月をかたどった「最中の月」という名のお菓子が始まりで、それが「最中」と省略されたといわれています。全国にありとあらゆる形、餡もいろいろの最中が存在し、現在も親しまれている和菓子です。

加賀八幡に伝わる故事から作られたそうです。

5 起き上がり最中：地元金沢では快気祝いや、赤ちゃんのお祝いなどのお遣い物にされるそう。［金沢 うら田］ 6 ぴーなっつ最中：千葉名物ピーナッツを練りこんだ白餡が食べやすい。［なごみの米屋］ 7 こまちみかん：みかんの皮を思わせる黄色い包装紙を開くと、８つの房が。中はオレンジマーマレードを練りこんだ白餡。［たまや］

水無月《ミナツキ》

京都の6月の神事・夏越《なごしの》大祓《おおはらえ》にあわせて、6月30日に夏の邪気払いに食べるお菓子です。三角形の白いういろうは氷のように美しく、上にのった小豆には厄払いの意味があるそう。

東京・井の頭にある［カフェギャラリー宵待草］では、種兵の最中種にあんこやアイスを挟んでいただけます。p.71で紹介した日本茶「栄西物語」もいただけます。

最中種《モナカダネ》

最中は和菓子屋さんで買いますが、中にはさむ餡は和菓子屋さんが作り、多くの場合、最中種（最中の皮）は専門の「種屋」が作ります。最中の皮は餅米からできています。最中といえば、パリパリッとした歯ざわり、香ばしい香りが命ですが、おいしい最中には、縁の下の力持ちのような種屋さんがいるのです。

最中種：毎朝つきたての餅米から作られる最中種は、歯ざわり、香りともに絶妙。［種兵］

桃かすてら：大小のほか、ミニサイズの「こもも」もあります。桃の節句だけでなく、結婚式、お宮参り、いろいろなお祝いのお遣い物にしたくなります。［白水堂］

桃カステラ《モモカステラ》

長崎の初節句を迎えた家では、桃の節句に、内祝いとして桃カステラをお祝い返しに贈るのが習慣だそうです。桃カステラがお店に並び始めると、長崎では春の到来を感じるとか。上質なカステラに、甘い砂糖を煮詰めたフォンダンでピンク色の桃が描かれ、その可愛らしさがたまりません。

桃山《モモヤマ》

桃山、桃山生地といわれる、白餡に米粉と卵黄を入れた生地で、白餡を包んだ焼き菓子です。名前の由来ははっきりしないけれど、京都伏見桃山城の瓦の「五三の桐紋」を型押ししたのが始まりというのが有力。ミルキーな味わいに、しっとりした口当たりが上品。

寿洛（じゅらく）：練乳やマーガリンも入った和洋風。ミルク、コーヒー、紅茶でも合います。［游月（ゆうづき）］

焼印《ヤキイン》

どら焼きやお饅頭に可愛い焼印が押してあると、思わずにっこり。浅草の合羽橋道具街や菓子道具店で、いろいろな大きさやデザインのものが売っています。オリジナルで作ってくれるところもあるので、どら焼きを手作りしたときに一手間かけると楽しいもの。和菓子だけでなくパン、卵焼き、木製品、皮製品などにも押すことができます。

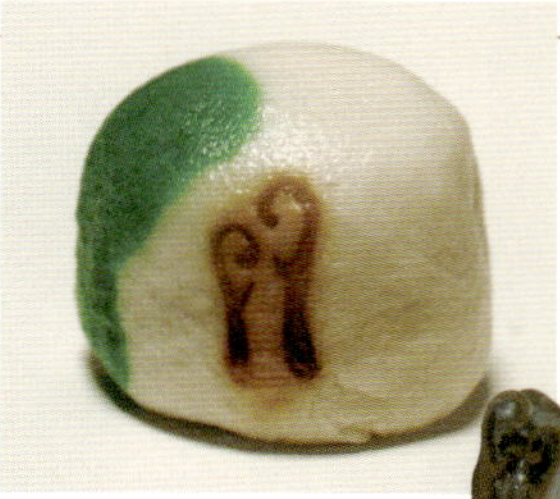

焼き印を押したお饅頭。［末廣屋喜一郎］

安永餅《ヤスナガモチ》

江戸時代から伊勢参りの旅人に愛されてきた、私のふるさと桑名《くわな》銘菓。細長くのばしたお餅につぶ餡を入れて焼いたお菓子。こげ目がついていて香ばしく、薄さと餡の程よい甘さが絶妙のバランスです。帰省時には必ず食べたくなります。

安永餅：添加物ゼロだから消費期限は２日。子どもの頃は少し硬くなったら、お餅を焼くように火であぶって食べました。［永餅屋老舗］

八ッ橋《ヤツハシ》

あまりにも有名な京都の銘菓・八ッ橋の誕生は江戸時代。うるち米を使って焼き、薄くのばしたものを短冊状にし、反りをつけて焼いたものです。近世箏《そう》曲の祖・八橋検校《やつはしけんぎょう》の遺徳をしのんで、この湾曲した形は箏《こと》をイメージしているとか。三角形のつぶ餡入り生八ッ橋が生まれたのは意外に最近で、昭和の中頃。京都のお土産としてはもっともポピュラーです。

聖護院八ッ橋：パリパリっと硬くて、にっきの香りが口の中で広がり、しっとり味わいが出てきます。［聖護院八ッ橋総本店］

山田屋まんじゅう《ヤマダヤマンジュウ》

創業以来１４０年余り、ただこのお饅頭だけを作り続けている［山田屋］の山田屋まんじゅう。一口サイズのシンプルな形に、そぎ落とされた美しさを感じます。薄皮饅頭ではありますが、絶対的にこし餡が主役。つぶ餡派のこし餡嫌いな人も好きにさせてしまう「究極の饅頭」と呼ばれています。初代が考案した製法は二代、三代と一子相伝で秘伝として大切に受け継がれています。

山田屋まんじゅう［山田屋］

雪餅《ユキモチ》

美しい雪をイメージして作られた、冬を代表するお菓子です。極細のそぼろを使ったきんとん、餅生地に餡を包み、その上から氷餅をふりかけてあったり、その形も各地それぞれ。口の中で感じる雪どけ。とっても幻想的です。

雪餅：ふわふわと雪玉がそこにあるかのような繊細なそぼろ。中の黄味餡は口どけがよくて優しい味。［千本玉壽軒］

ユニークな菓名《ユニークナカメイ》

菓名には歴史や想いがこめられていますが、どんなお菓子なのか想像できないようなユニークな菓子名もあります。日本人が昔から持っている遊びゴコロが楽しくて、もらっても贈っても、和菓子を食べることが楽しくなること間違いなしです。

月でひろった卵

絶対食べてみたくなるネーミングです。ふわふわスポンジに和栗がアクセント。［果子乃季］

越中富山の売薬さん

昔、薬売りが背負っていた柳行李（やなぎごうり）をイメージしたミルク饅頭。［リブラン］

伊萬里焼饅頭

焼き物？と勘違いしそうですが、伊万里焼の茶碗の形をしているお饅頭です。［エトワールホリエ］

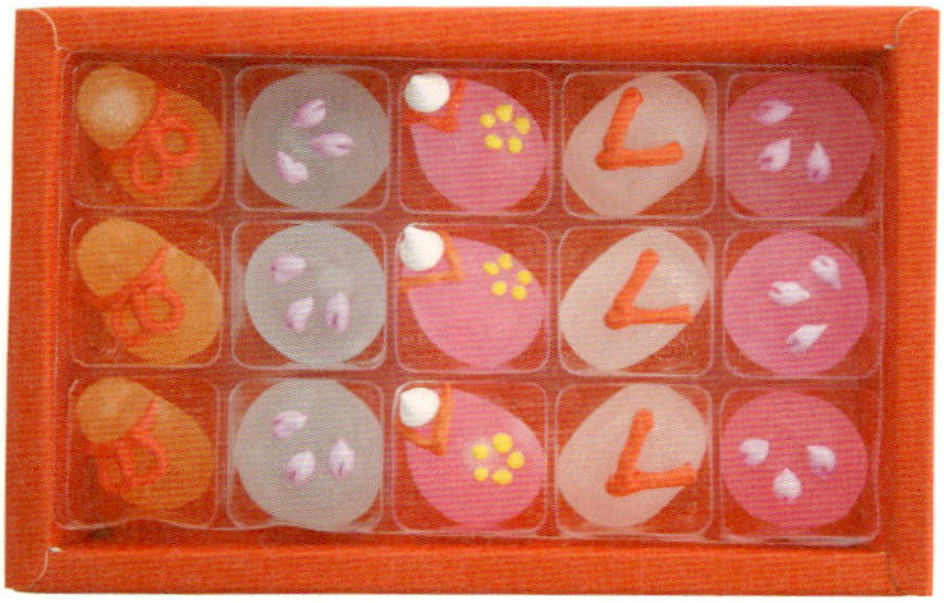

京まいこちゃんボンボン

名前もボンボンも可愛くて、女子会の集まりに出したい！［俵屋吉富 祇園店］

遊びかん：可愛い一口羊羹。右は黒糖・柚子・紅、左は抹茶・生姜・柿。［風流堂］

羊羹《ヨウカン》

和菓子の代表選手の羊羹には、餡を寒天で固めた練り羊羹、水羊羹のほか、蒸し羊羹などがあります。現在では練り羊羹が一般的ですが、蒸し羊羹のほうが歴史が長く、練り羊羹はそのあと作られ、定着したのは江戸時代以降だそう。濃い目のお茶に羊羹を一切れ。至福の時間です。

夜の梅：とらやを代表する「夜の梅」。羊羹の切り口に見える小豆を、夜に咲く梅の花に見立てています。［とらや］

柚餅子《ユベシ》

柚子を丸ごと使ったお菓子で、全国各地にいろいろな形、製法があります。柚子が色づき始めてから、何ヶ月も時間をかけて作られます。古くから保存食としても愛されてきました。日本酒のつまみに、ブランデーにもいけます。

丸ゆべし：直径７センチ！　輪切りにすると柚子の香りが漂い、もっちりとした食感、独特の苦味と甘さが広がります。［星加のゆべし］

よーじやカフェのカプチーノ《ヨージヤカフェノカプチーノ》

京都のあぶらとり紙の老舗「よーじや」のカフェには、このトレードマークの看板娘のカプチーノを飲みたくて、足を運ぶ人も多いそう。

ふわふわクリーミーなミルクの上に、ココアとシナモンパウダーで描かれています。

落雁《ラクガン》

お彼岸の頃になるとよく見かける落雁は、お干菓子の一種。砂糖、和三盆、もち米や麦などから作る落雁粉などを練りこんで、木型に入れて打ち出したお菓子です。さまざまな木型から生まれる四季折々の花鳥風月が表現された色形が上品で、お茶会やお供えに使われています。井原西鶴や近松門左衛門らの作品にも登場し、人気のお菓子だったことがうかがえます。

今昔（いにしえ）：金沢で160年以上も続く落雁の専門店。口どけのよさはもちろん、目にも美しい。［落雁諸江屋］

陸乃宝珠《リクノホウジュ》

ネーミングが素敵な「源《みなもと》吉兆庵《きっちょうあん》」のお菓子。宝庫・岡山県のマスカットオブアレキサンドリアを丸ごと一つ求肥で包みこみ、お砂糖をまぶしたもの。季節感、旬の果物を一番おいしい状態で閉じこめたお菓子として、お中元にも人気です。

陸乃宝珠［源吉兆庵］

レースかん《レースカン》

透きとおった寒天に輪切りのレモンをレースに見立てたのが可愛い、「大極殿本舗」のレースかん。きれいでうっとり。レモンの香りもさわやかで、酸味と甘みのバランスが絶妙です。この涼しげなお菓子は、夏の贈り物にするときっと喜ばれるはず。

寒天とレモンを組み合わせることで、たっぷりの蜜が出てくるそう。固めの寒天なので、スプーンでいただくと食べやすいかも。

わ

御園井先生の創作和菓子「季節のてまり」。

和菓子作り体験《ワガシヅクリタイケン》

和菓子好きなら、一度は和菓子を作ってみたいと思う人も多いはず。北鎌倉の古民家を再生した「たからの庭」では、創作和菓子作家の御園井《みそのい》裕芙子《ゆうこ》先生が主催する和菓子作りのワークショップや教室（手毬主催の四季の会）に参加することができます。ワークショップは予約初日に満員になるほどの人気ぶり。昔と今の感覚が混じり合った和菓子は可憐で美しく、海外でも好評です。

ワークショップは、季節の和菓子をテーマに毎月開催されています。

和紅茶《ワコウチャ》

紅茶といえばインドやスリランカが有名ですが、和紅茶は国産茶葉100％。日本生まれの和紅茶は、和食や和菓子によく合います。

和紅茶：日本茶の優良品種「やぶきた」を完全発酵。渋みが少なくまろやか、ストレートでいただけます。［椿堂茶舗］

和三盆《ワサンボン》

古くから徳島県、香川県で作られてきた伝統的なお砂糖で、原料は地元で作られるサトウキビ。その優しい甘さ、口どけのよさは、落雁、羊羹、飴など和菓子には欠かせません。

茶毬（ちゃまり）：和三盆に抹茶をまぶしたお菓子。渋みと甘みがすばらしく調和していて、お茶うけに最高です。［羽根さぬき本舗］

和カフェ《ワカフェ》

好きなカフェは……と考えると、その多くが和カフェ。和カフェのインテリア、しつらいやたたずまいは、とても落ち着きます。

遊形サロン・ド・テ

京の名旅館・俵屋のカフェ。繊細な味のわらび餅は絶品。（京都市中京区姉小路通麩屋町東入ル北側２件目）

祇園 OKU

ミシュランの星を持つ美山荘のご主人がプロデュース。甘味は洗練の極み。（京都市東山区祇園町南側 570-119）

成城あんや

水の流れる庭がモダン。炉があり、お抹茶も点ててもらえます。（東京都世田谷区成城 6-5-27）

玉屋月心庵

結納屋さんの古い蔵が、ジャズの流れる雰囲気満点の和カフェに。（大阪府茨木市元町 6-34）

一乗寺中谷

和菓子職人とパティシエのご夫婦が作るスウィーツが人気。（京都市左京区一乗寺花ノ木町 5）

和風スイートぽてと［栗尾商店］

和風スイートぽてと《ワフウスイートポテト》

徳島［栗尾商店］の、スプーンで食べるスイートポテト。鳴門金時１００％、鳴門金時芋焼酎、阿波和三盆を使っていて、表面はカリッと、お芋の甘さがしっかり感じられます。

和ラスク《ワラスク》

ラスクにみそ、煎茶、ごま、しょうゆ、ゆず、きな粉、黒糖など和の素材を塗ると、急に洋菓子から和菓子へ！ まさに奇跡的な融合です。上質な和三盆、発酵バターをベースに和の10種類ものフレーバー、上品な味わい。パティシエ辻口《つじぐち》博啓《ひろのぶ》氏が手がける「和楽紅《わらくべに》屋《や》」の和ラスクです。

フレーバーは季節によって変わります。

わらび餅《ワラビモチ》

わらびの根から取るでんぷん、わらび粉は、作るのにたいへんな手間ひまがかかり、生産量も少なく貴重なものです。ぷるぷるの食感ときな粉の甘さがたまりません。

わらび餅：丸い一口サイズ。驚くほどふわふわで、甘さひかえめ。こし餡入り。［先斗町駿河屋］

をちこち《ヲチコチ》

「両口屋《りょうぐちや》是清《これきよ》」を代表する銘菓、をちこち。「をちこち」とは遠い近いという意味で、はるかな山々の風景をイメージしたお菓子。そぼろ状にした村雨《むらさめ》生地に、たっぷりの大納言。5層重ねになっていて、手にするとずっしり。重そうに見えて、お味は甘すぎず上品です。

をちこち［両口屋是清］

んむくじ《ンムクジ》

んむくじ：［久高島振興会］

「ん」で始まる和菓子の材料を見つけました。「んむくじ」は、沖縄の言葉で「芋葛」、つまりさつまいものでんぷんのこと。

もっと知りたい 和菓子 のこと

※地域や菓子店によって違いが見られる場合や、いくつかの説がある場合もあります。

和菓子の豆知識

おはぎとぼた餅の違い

基本的には同じものですが、季節によって呼び方が変わります。春のお彼岸では、春の花の牡丹に見立てて「ぼた餅」、秋のお彼岸では、秋の花の萩に見立てて「おはぎ」と呼びます。花の大きさに合わせて、ぼた餅のほうが大きく、おはぎのほうが小ぶりです。とはいえ、最近では、細かい違いにこだわらなくなりました。

お汁粉とぜんざいの違い

関東では、小豆を甘く煮た汁にお餅や白玉を入れたものを「汁粉」、お餅に汁気のないあんこを添えたものを「ぜんざい」と呼んでいますが、関西では、こし餡で作った汁粉を「汁粉」、つぶ餡で作った汁粉を「ぜんざい」と呼んでいるようです。その他、地域によっても変わってくるようです。

すあまとすはまの違い

すあまは漢字で「素甘」「寿甘」、すはまは「州浜」「洲浜」と書きます。すあまは、上新粉と砂糖を混ぜた餅菓子で、紅白の卵形の「鳥の子餅」としてお祝いに使われます。すはまは、きな粉などに砂糖、水飴を入れて練った棹《さお》菓子ですが、お茶席などではそら豆の形を見かけます。もともとは州浜紋をかたどっています。

練り切りとこなしの違い

練り切りとこなしは、同じものととらえられていますが、ちょっと違います。上生菓子の一種で、こし餡に彫刻や繊細な細工のしやすいよう、つなぎに求肥などを加えて練り上げたものが「練り切り」。こし餡に小麦粉などを加え蒸し、もみこなして作ったものが「こなし」です。

寒天とゼラチンの違い

錦玉などに使われる寒天と、洋菓子のゼリーの違いは何でしょう？　寒天の原料は天草。海藻なので植物性です。ゼリーは牛や豚の骨からとる動物性たんぱく質です。寒天は一度沸騰させて溶かして使いますが、ゼラチンは50℃ほどで溶けるので沸騰させると固まりにくくなります。また、寒天はカロリーゼロです。

柏餅とちまきと端午の節句

5月5日、子どもの健康と成長を祝う端午の節句では、柏餅やちまきを食べますね。柏の木の葉は、新芽が出ないと古い葉が落ちないことから、子孫繁栄、家系が続くことを祈って柏餅を食べるようになったそうです。また、ちまきは、中国の言い伝えから、厄除けの風習として食べるようになったそうです。

お餅をついてはいけない日？

年末にお餅をつく場合は、28日か30日がよいとされています。29日は「苦をつく」「苦餅」「苦持ち」という意味があるとされ、お餅をついてはいけないといわれているのです。また、年末に限らず、9のつく日はお餅はついてはいけないとする地域もあります。門松も同様に、「苦を立てる」として29日には立てません。

お盆のお供え菓子

ご先祖様の霊をお迎えするお盆。地域によって7月または8月に行われ、仏壇などにお菓子、果物などのお供え物をします。お供えされるお菓子は、一般的に、暑い夏でも長くもつ、蓮の葉や花をかたどった色とりどりの落雁。地域によっては、お団子やおはぎ、お餅などをお供えするところもあります。

饅頭祭りって何するの？

日本で初めて饅頭を作ったといわれる中国の僧、林《りん》浄因《じょういん》を祀った奈良の林《りん》神社では、毎年、林浄因の命日とされる4月19日に全国の和菓子屋さんが集まり、和菓子を供えて「饅頭祭り」が行われます。また、東京・八王子の諏訪神社では、無病息災と厄除けを願うまんじゅう祭りが催されます。

菓子まきって何するの？

「菓子まき」「菓子ほかり」ともいう、主に東海地方で見られる習慣です。新婦の家の2階から、集まってきた人たちにお菓子をまくもので、嫁入りのお知らせでもありました。かつてはエプロンを広げ、バケツを頭にのせて、争奪戦が繰り広げられたとか。現在は、詰め合わせパックを配ることが増えたようです。

菓子博覧会って何？

お菓子のパッケージに、「名誉総裁賞」「内閣総理大臣賞」「農林水産大臣賞」という表示を見かけることがありますね。これらはみな、菓子博覧会において贈られる賞です。菓子博覧会は、もともと明治44年に始まった和菓子と洋菓子の日本最大の展示会で、現在はおよそ5年おきに開催されています。

和菓子の賞味期限

上生菓子は当日〜冷蔵庫に入れて翌日ぐらい、半生菓子は約1週間、干菓子なら約1ヶ月（お菓子によっては3〜6ヶ月）がおよその目安といわれています。一般に和菓子には消費期限が明記されています。賞味期限は風味が落ちずにおいしく食べられる期限で、消費期限はその日までに食べてくださいという期限です。

和菓子の保存法

和菓子の多くは、冷蔵庫で保存すると固くなってしまいます。特にお餅、大福、最中、生菓子などは、その日のうちにいただくのがベストですが、どうしても食べきれない場合は、冷蔵よりも冷凍保存が向いています。風味が落ちる前に冷凍しておくとよいでしょう。

和菓子のカロリー

水羊羹、最中、上生菓子などは1個あたり約100キロカロリー。カステラ、羊羹、大福、栗饅頭などは1個あたり約150キロカロリー。ケーキなどに比べると、油分を使わず、小豆や寒天など食物繊維の多い食材を使う和菓子はカロリー控えめです。（カロリー数はおよその目安です）

手土産のマナー

お菓子をお土産にするとき、外出先でお会いして手渡す場合は、重いもの大きいものを避け、仰々しくならないようにしたいもの。お宅におじゃまして渡す場合は、客間に通されてからご挨拶のあとに渡しましょう。手渡す際には、「○○のお菓子です。お口に合えば嬉しいですが……」と言葉を添えましょう。

生菓子を贈るときの心遣い

季節感のある生菓子は美しく、手土産にすると喜ばれます。が、生菓子は出来立てがおいしいもの。おいしく食べていただくためには、買ったその日に手渡せることが大前提です。また贈り先のご家族の人数よりも多めに購入するとしても、その日のうちに食べられるよう差し上げる数を考慮しましょう。

覚えておきたい和菓子のお作法

訪問先でお菓子を出していただいたとき、お饅頭やお団子などの場合は、添えられた楊枝や黒文字で、2等分または3等分と、食べやすい大きさにしていただきます。お煎餅などの干菓子は、懐紙にのせ、直接手で持っていただきます。食べきれない場合は、懐紙に包んで持ち帰りましょう。

「饅頭」の語源

饅頭のルーツは中国の蒸しパンです。「饅頭」は「まんとう」と読み、それが唐読みの「じゅう」となって、「まんじゅう」と呼ぶようになったそうです。日本では１３４９年に、宋から渡来した林浄因が持ちこんだのが始まりといわれています。肉を食べてはいけない日本の僧侶のために、小豆を煮つめた餡を包み蒸し上げたのが、日本の饅頭の始まりという説もあります。

「お菓子」の語源

中国から入ってきた言葉で、果実や木の実を表す言葉でしたが、いつしか食事以外に食べるものを総じて「菓子」と呼ぶようになりました。そして、菓子と果物とを区別するため、果物を「水菓子」、その他を「菓子」と呼ぶようになったそうです。現在では、水菓子は、果物の意味ではあまり使われなくなっています。

和菓子のことわざ

和菓子が出てくることわざの中では、お餅が多いように思います。よく知られている「餅は餅屋」「画に描いた餅」「棚からぼた餅」のほか、「ついた餅より心持ち」「開いた口へぼた餅」「木に餅がなる」「あんころ餅で尻叩かれる」「余って足らぬは餅の粉」「飴で餅食う」などなど。団子や飴、饅頭も多いですね。

和菓子の日っていつ？

　和菓子の日とされているのは、6月16日。起源は平安時代にさかのぼります。仁明《にんみょう》天皇が「嘉祥《かしょう》」という年号とした年のこの日に、16個のお菓子やお餅を神前にお供えし、疫病除け、健康招福を祈願したことにちなんでいるそうです。

　また江戸時代には、当時流通していた「嘉祥通宝」16枚でお菓子を買うと福を招く（嘉祥食い）ともいわれたそうです。16という数字は、お菓子に結びつきがあるようですね。

いろいろあります和菓子の記念日

　6月16日の「和菓子の日」以外にも、和菓子にちなんだ記念日はたくさんあります。たとえば、毎月1日は「小豆の日」、毎月3、4、5日は「みたらし団子の日」、毎月15日は「お菓子の日」です。

　さらに、3月14日は「サーターアンダギーの日」、4月4日は「どら焼きの日」「あんぱんの日」、9月9日は「栗きんとんの日」、10月31日は「ぜんざいの日」などなど。制定のいわれはいろいろですが、その日にその和菓子を食べるきっかけにするのもよいものです。

[和菓子の種類]

和菓子は、材料や製造方法や水分含量などによって、
さまざまに分類することができます。

生菓子
出来上がったお菓子の水分が30%以上のお菓子。餅菓子、蒸菓子、焼き菓子、流し物、練り菓子など。

半生菓子
水分が10~30%のもので、ほどよい柔らかさを持つ。おか物、焼き菓子、流し物、砂糖漬けなど。

干菓子
水分が10%以下で、日持ちがよい。打ち物、押し物、掛け物、飴菓子、豆菓子、米菓など。

餅菓子
もち米、新粉、白玉粉、道明寺粉、小麦粉などを使ったお菓子。大福、桜餅、団子、柏餅など。

蒸菓子
蒸して作るお菓子で、饅頭類はこの部類。酒饅頭、饅頭、ういろう、かるかん、など。

流し物
生地を型に流しこんで固めたもの。練り羊羹、錦玉、水羊羹など。

練り菓子
作る過程で材料を練って作るお菓子。練り切り、こなし、求肥など。

焼き菓子
平鍋やオーブンで生地を焼いて作るお菓子。カステラ、どら焼き、桃山、きんつばなど。

掛け物
生地に火を通し、砂糖の衣をかけたもの。石衣、金平糖、かりんとう、ひなあられなど。

おか物
火を使わずに仕上げるお菓子。別の素材と組み合わせて作るお菓子。最中、鹿の子など。

打ち菓子
打ち物ともいう。型に入れて打ち出した干菓子。落雁、塩釜など。

飴菓子
砂糖や水飴を原料に煮詰めて固めたお菓子。有平糖、さらし飴など。

揚げ菓子
油で揚げたお菓子。かりんとう、あられなど。

豆菓子
さまざまな豆を材料にしたお菓子。五色豆、炒り大豆など。

米菓
うるち米やもち米を主原料にしたお菓子。あられ、煎餅、おこしなど。

砂糖漬け
果物、野菜などを砂糖につけて作ったお菓子。甘納豆など。

[和菓子の材料]

和菓子を作るのによく使われる材料といえば、
粉、砂糖、豆。主なものをご紹介しましょう。

もち米粉

餅粉
もち米を洗い、乾燥させて粉を挽いたもの。餅菓子や求肥に用いられます。

寒梅粉
もち米を水洗いして水に浸け、蒸したあとについて餅を作り、焼いてから粉にしたもの。落雁などに使われます。

白玉粉
もち米を洗い、水を加えながらすりつぶし、水にさらしたあと、天日乾燥させたもの。寒さらし粉とも。

道明寺粉
もち米を水に浸し、蒸して干し、粗く挽いたもの。桜餅、椿餅に使われます。

うるち米粉

上新粉
お団子、ういろう、草餅、柏餅などに使われる粉で、うるち米を水洗いし、乾燥させたあとに挽いたもの。

上用粉（薯蕷粉）
上新粉より目が細かく、薯蕷饅頭などに用いられます。

かるかん粉
粒子が粗いうるち米粉で、かるかんを作るのに使われます。

砂糖類

ザラメ糖
結晶が大きく、純度の高い砂糖。飴作り、羊羹などに使われます。

上白糖
いわゆる白砂糖。日本ではもっとも一般的で、和菓子でも何にでも使える純度の高い砂糖です。

三温糖
純度が低く、甘さにコクがある黄味がかった色の砂糖です。

グラニュー糖
高純度、大きめの結晶で、サラサラした砂糖。水に溶けやすく、和菓子では羊羹などにも使われます。

黒砂糖
サトウキビから作られる黒褐色の砂糖。濃厚な甘み、コクのある味わいが特徴的です。かりんとうや黒蜜などに使われます。

和三盆
主に徳島県、香川県が産地で、伝統的な製法で作られた砂糖。干菓子などの材料によく使われます。

水飴
芋や穀類のでんぷんです。

豆

小豆
餡には欠かせない豆。大納言小豆は皮がしっかりしていて煮崩れしにくいのが特徴で、北海道のものが有名。食物繊維も多く含まれ、ヘルシーな食材として人気を集めています。

えんどう
みつ豆、豆かん、大福、甘納豆などに使われる赤えんどう、緑色のうぐいす餡に使うのは青えんどうです。

白小豆
粒は小さめ、皮が柔らかい、白餡の材料となる豆。上生菓子などに使われます。

いんげん豆
手亡《てぼう》、福白金時と呼ばれる種類のいんげん豆が、白餡を作るために使われることが多いです。

枝豆
まだ未熟な大豆のことで、ゆでた枝豆をすりつぶした緑色の餡を「ずんだ」といいます。

［和菓子のレシピ］

五色あられ

実家のある三重県では、昔からあられを手作りします。
電子レンジでチンすると膨らんで、
おいしいあられの出来上がり。
素朴な味で、子どもからお年寄りまで
喜ばれるおやつです。

材料（約1年分）

A もち米　1升（1.8kg）
砂糖　1カップ
酒　½カップ
塩　小さじ山盛り
油　大さじ1
ベーキングパウダー　小さじ1

［白いあられ］
えび　適量
A

［青いあられ］
青のり　適量
A

［黄色いあられ］
くちなし（またはカレー粉）　適量
A

［赤いあられ］
食紅　適量
A

［茶色いあられ］
しょうゆ
塩を除いたA

作り方

1 もち米は洗って、二晩水につけておきます。ざるにあげて水をきり、もちつき器で「蒸す」「つく」。

2 つき始めて、つぶつぶがなくなってきたら、砂糖、酒、塩、油、ベーキングパウダーを入れます。茶色いあられのしょうゆは沸騰させてから入れます。

3 色つけ用の材料を入れます。調味料が十分混ざり、色よくなってきたのを確認しながら、つき上がるのを待ちます。

4 つき終わったら、サランラップを敷いた型に流しこみます。型の隅々まで厚さが均等になるように、手でしっかり押さえこみます。

5 2～3日置いたあと、型から取り出して4cm長さに切ります。また2日くらい置いて、あられの大きさに切ります。

6 1ヶ月ほど、風の当たらない室内で陰干し、密閉容器に入れて保存します。適量を、レンジで1分、混ぜ合わせてさらに30秒チンしていただきます。

あんこ

東京・井の頭の和菓子屋
「末廣屋喜一郎」のご主人に、
あんこのおいしい炊き方を
教えていただきました。
プロのあんこの炊き方、
ぜひチャレンジしてみてください。

材料（約500g分）

小豆　150g
砂糖　180g
塩　ひとつまみ
水飴（あれば）　大さじ2

※砂糖はザラメ糖かグラニュー糖を使うと、品のよい甘さになります。

作り方

1 小豆は一晩水につけておきます。

2 豆を鍋に移し、ひたひたに水を加えて、ふたをしないで中火で煮ます。沸騰したら水150cc（分量外）を差し、さらに中火で煮ます。

3 再び沸騰したら、ざるにあけます（渋きり）。鍋に戻し、2と同じように、ひたひたの水を加えて中火で煮ます。水が少なくなったら足して、ひたひたの状態をキープします。

4 小豆が指でつぶれるくらいに柔らかくなったら、再びざるにあけます。

5 鍋に小豆、水100cc（分量外）、砂糖、塩を入れ、木べらで持ち上げてたらすと少し山になる程度まで、強めの火で煮詰めます。焦げないように、木べらで底をすくうように混ぜるのがコツ。

6 最後に、あれば水飴大さじ2を加えます。こうすると、パサつかず、柔らかなあんこになります。

たまごボーロ

ボーロは、子どものおやつに、
また子どもと一緒に作るのにぴったり。
甘さの調整もお好みで。
きな粉やかぼちゃを入れたりと、
アレンジもしやすいです。

材料（作りやすい分量）

卵黄　1個分
砂糖　大さじ1.5
スキムミルク　大さじ1
片栗粉（またはコーンスターチ）50～65g

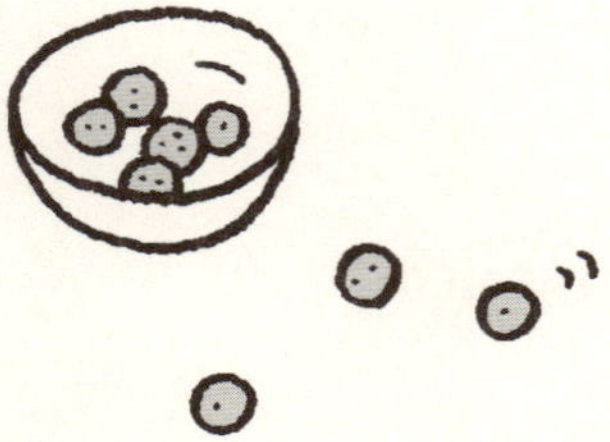

作り方

1 ボウルに卵黄を入れ、砂糖を加えてよく混ぜ合わせます。

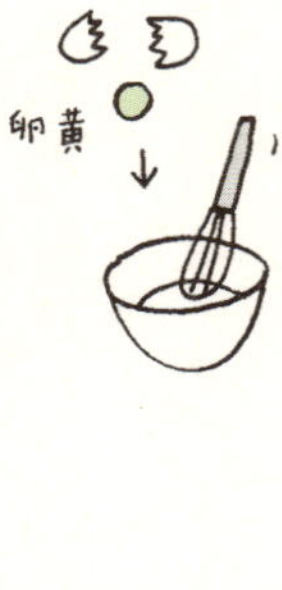

2 スキムミルクと、ふるいにかけた片栗粉を加え、よく手でこねて耳たぶくらいの硬さの生地にします。

3 生地を手のひらでくるくると小さく丸め、ボーロの形を作ります。

4 天板に並べて、オーブン180℃で7分焼きます。

いちご大福

大福は、電子レンジで
簡単に作ることができます。
いちご、栗、みかん、パイナップル、バナナなど
中に入れるものをかえれば、
いろいろな大福が楽しめます。

材料（10個分）
いちご　10個
こし餡　適宜
白玉粉　150g
砂糖　100g
水　250cc
片栗粉　適宜

作り方

1 いちごは洗って、へたを取り、水気をよく切って、こし餡で包みます。

2 求肥を作ります。耐熱用のボウルに白玉粉と砂糖を入れ、少しずつ水を入れながら混ぜ合わせます。一気に水を入れるとダマになるので注意。

3 なめらかになったら、ラップをかけて、電子レンジに2分かけます。取り出して、生地がくっつかないように水をつけたへらで、よく混ぜ合わせます。

4 再び、ラップをかけて、電子レンジに2分かけます。取り出して、さらにへらで混ぜ合わせます。透明感が出て、もっちりしたら、求肥の出来上がり。

5 片栗粉を引いたまな板に求肥を移し、10等分にします。

6 手に片栗粉をまぶし、求肥で1のいちごを包みます。底の部分の求肥をぎゅっとくっつけて、出来上がり。求肥が熱いうちに包んだほうが、形がうまく作れます。

カンタンお汁粉

小豆から作るお汁粉は
もちろんおいしいけれど、
ちょっと手間ひまかかってしまう。
小腹が空いてすぐに食べたいときは、
小豆缶を使って、
10分でできる簡単お汁粉をどうぞ！

材料（2人分）

小豆缶　1缶（200g）
水　200cc
塩　少々
お餅　4個

作り方

1 小豆缶を鍋にあけ、水を加えて火にかけます。

2 煮立ってきたら塩を加えます。塩を入れると甘くなるので、味見をしながら入れましょう。

3 お餅をオーブントースターで、焼き色がつくまで焼きます。

4 焼いたお餅を鍋に入れて、出来上がり。塩昆布を添えると、さらにおいしいです。

カンタン桜餅

桜の季節になると、
むしょうに食べたくなる桜餅。
お家でピンク色のお餅を作って、
お花見に出かけるのも楽しいものです。
電子レンジで手早く作ってしまいましょう。

材料（10個分）

桜の葉の塩漬け　10枚
道明寺粉　150g
水　100cc
砂糖　80g
食紅　少々
こし餡　適宜

作り方

1 桜の葉の塩漬けは水洗いし、水につけて、塩抜きをしておきます。
2 道明寺粉は洗って、ざるにあけます。耐熱用のボウルに入れて、ラップをし、電子レンジに5分かけます。
3 水と砂糖を鍋に入れて火にかけ、ひと煮立ちしたら、食紅を加えて、火を止めます。
4 3を熱いうちに2のボウルに加えて、よく混ぜ、ラップをして15分ほど置きます。
5 粘りが出るまで、再びよく混ぜます。
6 5を10個に等分し、それぞれをラップの上に平らに広げて、こし餡を包みます。
7 1の桜の葉で包んで、出来上がり。

問合せ先

追分だんご本舗 新宿本店
東京都新宿新宿3-1-22
☎03-3351-0101
http://www.oiwakedango.co.jp

大阪糖菓
大阪府八尾市若林町2-88コンペイトウミュージアム
☎072-948-1339
http://www.konpeitou.jp/

大手饅頭伊部屋
岡山市北区京橋町8-2
☎086-225-3836
http://www.ohtemanjyu.co.jp/

お菓子の香梅
熊本市中央区白山1-6-31
☎096-371-5081
http://www.kobai.jp

岡乃家
埼玉県北本市西高尾8－89
☎048-592-2976

おきな屋
青森市新町1-8-2
☎017-722-4343
http://www.a-okinaya.co.jp

尾長屋
東京都台東区上野5-7-7公徳堂ビル2F
☎03-5846-3159
http://www.onagaya.com

か

鍵善良房
京都市東山区祇園町北側264
☎075-561-1818
http://www.kagizen.co.jp

かごや
東京都杉並区阿佐ヶ谷南3-38-22
☎03-3393-4741
http://www.rakuten.ne.jp/gold/kagoya/

かざりや
京都市北区紫野今宮町今宮神社門前
☎075-491-9402

菓子処ひらい
岡山県倉敷市玉島乙島6697-5
☎086-522-3077
http://www.ryoukanan.jp/

石川屋本舗
金沢市示野町西22
☎076-268-1120
http://www.ishikawaya-honpo.co.jp/

石橋屋
仙台市若林区舟丁63
☎022-222-5415
http://www.ishibashiya.co.jp/

石村萬盛堂
福岡市博多区須崎町2-1
☎0120-222-541
http://www.ishimura.co.jp

一文字屋和舗
京都市北区紫野今宮町69
☎075-492-6852

一保堂茶舗
京都市中京区寺町二条上ル
☎075-211-3421
http://www.ippodo-tea.co.jp/

伊藤久右衛門
京都府宇治市菟道荒槙19-3
☎0120-27-3993
http://www.itohkyuemon.co.jp/

ういろう
神奈川県小田原市本町1-13-17
☎0465-24-0560
http://www.uirou.co.jp/

うさぎや
東京都台東区上野1-10-10
☎03-3831-6195
http://www.ueno-usagiya.jp/

梅源
東京都台東区西浅草3-10-5
☎03-3841-4147

エトワールホリエ
佐賀県伊万里市本町アーケード内
☎0955-23-1515
http://www.etoile-horie.com/

恵那寿や
岐阜県恵那市大井町231-13
☎0573-25-2541
http://www.suya.co.jp/

遠州屋
名古屋市西区新道2-2-9
☎052-571-7289
http://engasane.jp

あ

会津葵
福島県会津若松市追手町4-18
☎0242-26-5555
http://aizuaoi.com/

赤坂柿山 赤坂総本店
港区赤坂3-6-10 赤坂山王下交差点
☎03-3585-9927
http://www.kakiyama.com

明石屋
鹿児島市金生町4-16
☎099-226-0431
http://www.akashiya.co.jp

赤福本店
三重県伊勢市宇治中之切町26
☎0596-22-7000
http://www.akafuku.co.jp/

浅野耕月堂
福井県あわら市温泉4-916
☎0776-77-2035
http://kougetsudo.net/

麻布かりんと
東京都港区麻布十番1-7-9
☎03-5785-5388
http://www.azabukarinto.com

麻布昇月堂
東京都港区西麻布4-22-12
☎03-3407-0040
http://www.geocities.jp/azabusyougetsudou/

浅見菓子道具店
東京都台東区寿2-7-9
☎03-3841-7936
http://www3.ocn.ne.jp/~asami/

あわ家惣兵衛
東京都練馬区大泉学園町7-2-25
☎03-3922-3636
http://www.so-bey.com/

庵月堂
大阪市中央区東心斎橋2-8-29
☎06-6211-0221
http://www.angetsu.co.jp/

いいだばし萬年堂
東京都新宿区揚場町2-19
☎03-3266-0544
http://www.omedeto.co.jp/

京都鶴屋鶴壽庵
京都市中京区壬生梛ノ宮町24
☎075-841-0751
http://www.kyototsuruya.co.jp

京都吉祥庵
京都市南区吉祥院池之内町32
☎075-661-0821
http://store.kisshoan.co.jp/

京はやしや 京都三条店
京都市中京区三条通河原町東入る中島町105タカセビル6F
☎075-231-3198
http://www.kyo-hayashiya.com/

銀座鹿乃子
東京都中央区銀座5-7-19
☎03-3572-0013
http://homepage3.nifty.com/kanoko/

銀座鈴屋 本店
東京都中央区銀座8-4-4
☎0120-14-1710
http://www.ginza-suzuya.co.jp/

ギンザ プティカスタ
東京都武蔵野市吉祥寺本町1-11-5
コピス吉祥寺A館 B1F
☎042-223-5886
http://www.petit-custa.com/

金多留満
山梨県南都留郡富士河口湖町船津7407
☎0120-72-5510
http://www.kindaruma.co.jp

九九や旬粋
長野市元善町486善光寺仲見世通り
☎026-235-5557
http://www.syunsui.com/

楠堂本家
神戸市兵庫区東山町1-1-7
☎078-511-0513

久高島振興会
沖縄県南城市知念字久高249-1
☎098-835-8919
http://www.kudakajima.jp/

蔵久
長野県安曇野市豊科高家604
☎0263-73-0170
http://www.kurakyu.jp

亀屋清永
京都市東山区祇園石段下南
☎075-561-2181
http://www.kameyakiyonaga.co.jp/

亀屋則克
京都市中京区堺町三条上ル大阪材木町702
☎075-221-3969

川端道喜
京都市左京区下鴨南野々神町2-12
☎075-781-8117

甘春堂
京都市東山区川端通正面大橋角
☎075-561-4019
http://www.kanshundo.co.jp

甘美堂 kanbidou plus s
青森県むつ市大畑町字大畑21-18
☎0175-34-3151
http://www.kanbidou.jp（東京オフィス）

かん袋
大阪府堺市堺区新在家町東1-2-1
☎072-233-1218
http://www.kanbukuro.co.jp/

祇園小石
京都市東山区祇園町北側286-2
☎075-531-0331
http://www.e385.net/g-koisi

菊寿堂義信
大阪市中央区高麗橋2-3-1
☎06-6231-3814

桔梗屋
山梨県笛吹市一宮町坪井1928
☎0553-47-3700
http://www.kikyouya.co.jp/

喜作
東京都文京区関口1-7-2
☎03-3268-1121
http://www.warisen.co.jp/

象屋元蔵
香川県高松市田町5-8
☎087-861-2530
http://www.ototosenbei.com/

京華堂利保
京都市左京区二条通川端東入ル難波町226
☎075-771-3406

果子乃季
山口県柳井市大字柳井5275
☎0820-22-0757
http://www.kasinoki.co.jp/kasinoki/01t.htm

菓宗庵
名古屋市昭和区広路町石坂36
☎052-831-2488
http://www.kasyuan.com/

菓匠清閑院 銀座本店
東京都中央区銀座7-4-14
☎03-5537-0530
http://www.seikanin.co.jp/

菓匠高木屋
金沢市本多町1-3-9
☎073-231-2201
http://www.takagiya.jp/

菓匠 花見
さいたま市浦和区高砂1-6-10
☎048-822-2573
http://www.kasho-hanami.co.jp/

柏屋
福島県郡山市富久山町久保田字宮田127-5
☎024-956-5506
http://www.usukawa.co.jp/

金沢 うら田
金沢市御影町21-14
☎076-243-1719
http://www.urata-k.co.jp

カフェギャラリー宵待草＆ジュエリー月虹望
東京都三鷹市井の頭3-31-16
☎0422-48-8162
http://gekkohbou-chacha.com/

亀十
東京都台東区雷門2-18-11
☎03-3841-2210
http://ryoma.cantown.jp/cgi-bin/WebObjects/Cantown.woa/wa/shop?id=118

かめや本店
静岡県御前崎市池新田4110-4
☎0537-86-2125
http://www.kamemanjyu.com

亀屋栄泉
埼玉県川越市幸町5-6
☎049-222-0228
http://www.kawagoe.com/kameyaeisen/

三条若狭屋
京都市中京区三条通堀川西入ル橋西町675
☎075-841-1381
http://www.wakasaya.jp/

塩瀬総本家
東京都中央区明石町7-14
☎03-3541-0776
http://www.shiose.co.jp/

資生堂パーラー 銀座本店
東京都中央区銀座8-8-3東京銀座資生堂ビル1階
☎03-3572-2147
http://parlour.shiseido.co.jp/

柴橋茶道具店
大阪市中央区谷町6-11-10
☎06-6761-7005
http://www.shibahashi-chacha.jp

松翁軒
長崎市魚の町3-19
☎095-822-0410
http://www.shooken.com

嘯月
京都市北区紫野上柳町6
☎075-491-2464

聖護院八ッ橋総本店
京都市左京区聖護院山王町6
☎075-761-5151
http://www.shogoin.co.jp

笑福堂
福井県敦賀市昭和町2-21-31
☎0770-22-4747
http://www.shoufukudou.com

新正堂
東京都港区新橋4-27-2
☎03-3431-2512
http://www.shinshodoh.co.jp/

末富
京都市下京区松原通室町東入ル
TEL075-351-0808

末廣屋喜一郎
東京都三鷹市井の頭3-15-14
☎0422-43-5030

するがや祇園下里
京都市東山区祇園末吉町80
☎075-561-1960

さ

茶菓工房たろう
金沢市弥生2-9-15
☎076-213-7233
http://www.sakakobo-taro.com

笹屋伊織
京都市下京区七条通大宮西入花畑町86
☎075-371-3333
http://www.sasayaiori.com/

笹屋昌園
京都市右京区谷口園町3-11
☎075-461-0338
http://www.rakuten.co.jp/sasaya-s/

茶丈藤村
滋賀県大津市石山寺1-3-22
☎077-533-3900
http://www.sajo-towson.jp/

札幌 餅の美好屋
札幌市西区二十四軒２条4-1-8
☎011-611-3448
http://www.rakuten.co.jp/miyoshiya-mochi

ざびえる本舗
大分市府内町2-14
☎097-538-1111
http://www.zabieru.com

茶寮 風花
神奈川県鎌倉市山ノ内291
☎0467-25-5112
http://kamakura-brand.com/kazahana

澤田屋
甲府市向町375
☎055-235-5545
http://www.kurodama.co.jp/

山陰とれたて本舗
http://www.rakuten.ne.jp/gold/sanintoretatehonpo/

三英堂
島根県松江市寺町47
☎0852-31-0122
http://www.saneido.jp/

三松堂
島根県鹿足郡津和野町森村ハ19-5
☎0856-72-0174
http://www.sanshodou.co.jp/

栗尾商店
徳島県美馬郡つるぎ町貞光字馬出47-10
☎0120-38-48-58
http://www.kurio.jp

くるみの木 cage
奈良市法蓮町567-1
☎0742-20-1480
http://www.kuruminoki.co.jp/

桂新堂
名古屋市熱田区金山町1-5-4
☎052-681-6411
http://www.keishindo.co.jp/

紅梅堂
東京都武蔵野市吉祥寺北町2-2-12
☎0422-22-6026
http://www.koubaidou.com

紅梅屋
三重県伊賀市上野東町2936
☎0595-21-0028
http://www.koubaiya.com/

工房あめつち
石川県能美市寺井町ウ18
ametsuchi@lagoon.ne.jp

幸楽屋
京都市北区鞍馬口通烏丸東入ル
☎075-231-3416

高林堂
宇都宮市馬場通り3-4-18
☎028-633-4946
http://www.kourindo.jp

九重本舗玉澤
仙台市太白区郡山4-2-1
☎022-246-3211
http://www.tamazawa.jp

御所飴本舗
京都市中京区三条通河原町東入ル中島町98
☎075-221-3072
http://www.goshoame.co.jp/

言問団子
東京都墨田区向島5-5-22
☎03-3622-0081
http://www.kototoidango.co.jp/

こまき
神奈川県鎌倉市山ノ内501
☎0467-22-3316

長州屋光圀
山口県萩市大字古萩町25-26
☎0838-22-4652
http://www.e-hagi.net/mitsukuni/

長命寺桜もち
東京都墨田区向島5-1-14
☎03-3622-3266
http://www.sakura-mochi.com

千代の舎竹村
奈良市東向南町22
☎0742-22-2325

つちや
岐阜県大垣市俵町39
☎0584-78-2111
http://www.kakiyokan.com/

椿堂茶舗
京都市伏見区深草北新町635
☎075-644-1231
http://www.tsubakido.com/

鶴屋菓子舗
佐賀市西魚町一番地
☎0952-22-2314
http://www.marubouro.co.jp

鶴屋吉信 本店
京都市上京区今出川通堀川西入
☎075-441-0105
http://www.turuya.co.jp

出入橋きんつば屋
大阪市北区堂島3-4-10
☎06-6451-3819

出町ふたば
京都市上京区出町通今出川上ル
☎075-231-1658

手毬
神奈川県鎌倉市山之内1418
☎0467-33-4525
http://www.temari.info/

天明三年創業 龜屋
埼玉県川越市仲町4-3
☎049-222-2052
http://www.koedo-kameya.com

東京岬屋
東京都渋谷区富ケ谷2-17-7
☎03-3467-8468

東肥軒
東京都世田谷区豪徳寺1-38-7
☎03-3420-1925
http://www.kurufuku.jp/

大心堂
東京都台東区台東4-28-2
☎03-3832-0005
http://www.kodai.jp/

田浦物産
長崎県雲仙市小浜町雲仙320
☎0957-73-3571

高岡福信
大阪市中央区道修町4-5-23
☎06-6231-4753

竹下製菓
佐賀県小城市小城町池上2500番地
☎0952-72-5000
http://takeshita-seika.jp

田中屋本店
新潟市江南区江口2181-3
☎025-276-4062
http://www.dangoya.com

種兵
長野県小諸市古城2-1-9
☎0267-22-0566

たねや
滋賀県近江八幡市宮内町 日牟禮ヴィレッジ
☎0748-33-4444
http://taneya.jp

たまや
大分県国東市安岐町馬場1158
☎0978-67-1451

俵屋
金沢市小橋町2-4
☎076-252-2079
http://www.ame-tawaraya.co.jp/

俵屋吉富　祇園店
京都市東山区四条通大和大路西入
☎075-541-2543
http://www.kyogashi.co.jp

竹泉堂
富山県射水市片口147-1
☎0766-86-5000
http://www.imizucci.jp/info/tikusen/index.html#jigyosyo

長久堂
京都市北区上賀茂畔勝町97-3
☎075-712-4405

盛栄堂
千葉県南房総市和田町423-2
☎0470-47-2147

栖園
京都市中京区六角通高倉東入南側
☎075-221-3311

清課堂
京都市中京区寺町通り二条下る妙満寺前町462
☎075-231-3661
http://www.seikado.jp

星加のゆべし
愛媛県西条市西田甲538-21
☎0897-55-8474
http://www2.ocn.ne.jp/~yubeshi

清風堂
東京都目黒区目黒本町2-2-8
☎03-3712-3320
http://www.seifu-dou.jp/

セレー
http://www.serehstyle.com/

千本玉壽軒
京都市上京区千本通今出川上ル
☎075-461-0796

双鳩堂
京都市左京区山端川端町11
☎075-781-5262
http://www.hatomochi.jp

総本家いなりや
京都市伏見区深草開土町2（伏見稲荷大社境内）
☎075-641-1166
http://www014.upp.so-net.ne.jp/inariya/

総本家 宝玉堂
京都市伏見区深草一ノ坪町27-7
☎075-641-1141

た

大幹堂
滋賀県東近江市猪子町346
☎0748-42-0215

大極殿本舗
京都市中京区高倉通四条上ル帯屋町590
☎075-221-3323

HIGASHIYA GINZA
東京都中央区銀座1-7-7ポーラ銀座ビル2F
☎03-3538-3230
http://www.higashiya.com

麩嘉
京都市上京区西洞院椹木町上ル東裏辻町413
☎075-231-1584

風流堂
松江市白潟本町15
☎0852-21-3359
http://www.furyudo.jp/

福光屋
金沢市石引2-8-3
☎076-223-1117
http://www.fukumitsuya.co.jp

ニッ井戸 津の清
大阪府堺市堺区浅香山町3-9-11
☎0120-7-18054
http://www.tsunose.co.jp/

船坂酒造店
岐阜県高山市上三之町105
☎0577-32-0016
http://www.funasaka-shuzo.co.jp

船橋屋
東京都江東区亀戸3-2-14
☎03-3681-2784
http://www.funabashiya.co.jp

フランス屋
京都市伏見区竹田西段川原町100
☎075-641-6261
http://www.furansuya.jp

文明堂総本店
長崎市江戸町1-1
☎095-824-0002
http://www.bunmeido.ne.jp/

勉強堂
広島県福山市熊野町乙1151-2
☎084-959-0025
http://www.ben-kyou-dou.co.jp

宝泉堂
京都市左京区下鴨膳部町21
☎075-781-1051
http://www.housendo.com

星加のゆべし
愛媛県西条市西田甲538-2
☎0897-55-8474
http://www2.ocn.ne.jp/~yubeshi/

奈良ホテル
奈良市高畑町1096
☎0742-26-3300
http://www.narahotel.co.jp/

奈良屋本店
岐阜市今小町18
☎058-262-0067
http://naraya-honten.com

新潟大阪屋
新潟市江南区大渕1631-8
☎025-276-1411
http://www.niigata-osakaya.com

二條若狭屋
京都市中京区二条通小川東入る西大黒町333-2
☎075-231-0616
http://www.kyogashi.info/

は

梅花亭
東京都新宿区神楽坂6-15
☎03-5228-0727
http://www.baikatei.co.jp

梅花堂
仙台市泉区桂3-2-8
☎022-371-7441

博多 松屋
福岡市博多区上川端町14-18
☎092-291-5244
http://www.matsuya1673.com

白水堂
長崎市油屋町1-3
☎095-826-0145
http://www.momokasutera.com

羽根さぬき本舗
香川県東かがわ市馬宿156-8
☎0879-33-2224
http://www.wasanbon.com

羽二重団子
東京都荒川区東日暮里5-54-3
☎03-3891-2924
http://www.habutae.jp/

はやし製菓本舗
大阪市阿倍野区王子町1-7-11
☎06-6622-5372

桃林堂
大阪府八尾市山本町南8-19-1
☎072-923-0003
http://www.tourindou100.jp

十勝甘納豆本舗 本店
埼玉県川口市青木2-6-12
☎048-255-6677
http://www.tokati.co.jp/

徳太樓
東京都台東区浅草3-36-2
☎03-3874-4073
http://www.tokutarou.net/

豊島屋
神奈川県鎌倉市小町2-11-19
☎0467-25-0810
http://www.hato.co.jp

とらや 赤坂本店
東京都港区赤坂4-9-22
☎03-3408-4121
http://www.toraya-group.co.jp/

な

長崎堂
長崎市松が枝町5-6
☎0120-36-2462
http://www.kasutera.co.jp

なかにし
奈良市脇戸町23
TEL0742-24-3048
http://www.naramachi.jp

中村軒
京都市西京区桂浅原町61
☎075-381-2650
http://www.nakamuraken.co.jp/

永餅屋老舗
三重県桑名市有楽町35
☎0594-22-0327
http://www.nagamochiyarouho.co.jp

なごみの米屋
千葉県成田市上町500
☎0476-22-1661
http://www.nagomi-yoneya.co.jp

浪越軒
名古屋市守山区八剣1-311
☎052-799-2681
http://www.namikoshiken.co.jp

大和屋
新潟県長岡市柳原町3-3
☎0258-35-3533
http://www.kosinoyuki-yamatoya.co.jp

山利屋
東京都武蔵野市吉祥寺本町1-2-5
☎0422-21-4188
http://www.yamariya.co.jp

游月
京都市左京区山端壱町田町8-31
☎075-711-1110
http://www.kyoukasyou-yuuduki.com

よーじやカフェ 三条店
京都市中京区三条通麩屋町東北角
☎075-221-4503
http://www.yojiya.co.jp/pages/cafe.html

芳治軒
京都市山科区竹鼻竹ノ街道町77
☎075-581-0209

落雁諸江屋
金沢市野町1-3-59
☎076-245-2854
http://moroeya.co.jp/

リブラン
富山市栄町2-1-5
☎076-429-7188
http://www.lisblanc.com

両口屋是清 本町店
名古屋市中区丸の内三丁目14-23
☎0120-052-062
http://www.ryoguchiya-korekiyo.co.jp

六花亭
北海道帯広市西24条北1丁目3-19
☎0155-37-6666
http://www.rokkatei.co.jp/

和香園
鹿児島県志布志市有明町原田1203-7
☎099-475-1023
http://www.wakohen.co.jp/

和楽紅屋 高島屋玉川店
東京都世田谷区玉川3-17-1 玉川高島屋本館地下1階
☎03-5491-2751
http://www.waraku-beniya.jp/

水田屋
佐賀県鳥栖市本町1-970
☎0942-82-2071
http://www.mizutaya.com/

瑞穂
東京都渋谷区神宮前6-8-7
☎03-3400-5483

源吉兆庵 銀座本店
東京都中央区銀座7-8-9
☎03-3569-2360
http://www.kitchoan.co.jp/

村上
金沢市泉本町1-4
☎076-242-1411
http://www.wagashi-murakami.com/

紫野源水
京都市北区小山西大野町78-1
☎075-451-8857

紫野和久傳
京都市北区紫野大徳寺南門東入ル
☎075-495-6161
http://www.wakuden.jp

森八
金沢市大手町10-15
☎076-262-6251
http://www.morihachi.co.jp/

紅葉屋本店
埼玉県熊谷市佐谷田3247-1
☎048-521-0376
http://www5b.biglobe.ne.jp/~momijiya

や ら わ

山崎製パン
☎0120-811-114
http://www.yamazakipan.co.jp/

やまだいち
静岡市駿河区登呂5-15-13
☎054-287-2111
http://abekawamochi.co.jp

山田家（白露ふうき豆）
山形市本町1-7-30
☎023-622-6998

山田屋（山田屋まんじゅう）
松山市正岡神田甲251
☎089-911-7118
http://yamadayamanju.jp/

細見美術館
京都市左京区岡崎最勝寺町6-3
☎075-752-5555
http://www.emuseum.or.jp

本家船はしや
京都市中京区三条大橋西詰112番地
☎075-221-2673
http://www.shinise.ne.jp/funahashiya

先斗町駿河屋
京都市中京区先斗町三条下ル
☎075-221-5210
http://www.pontocho-surugaya.com

ほんま
札幌市豊平区月寒東2条3丁目2-1
☎011-851-1264
http://www.e-honma.co.jp

ま

松彌
京都市中京区新烏丸通二条上ル
☎075-231-2743

豆徳本店
広島県福山市胡町4-21
☎084-973-7222
http://www.mametoku.co.jp

満月
京都市左京区鞠小路通今出川上ル
☎075-791-4121
http://www.ajyarimochi.com

萬年堂
東京都台東区下谷2-19-9
☎03-3873-0187
http://www.mannendo.net

万年堂
名古屋市東区東桜2-17-21
☎0120-758-217
http://www.nagoya-mannendo.co.jp

萬々堂通則
奈良市橋本町34（もちいどのセンター街）
☎0742-22-2044
http://www.manmando.co.jp/

御門屋
東京都目黒区中町1-26-5
☎03-3715-7890
http://www.mikadoya-agemanjyu.co.jp

参考文献
『事典　和菓子の世界』中山圭子（岩波書店）
『別冊太陽　和菓子風土記』鈴木晋一監修（平凡社）
『家庭画報が選ぶ和菓子435選』（世界文化社）

デザイン　佐久間麻理
撮影　寺岡みゆき
イラスト　はやしゆうこ
編集協力　安達裕子、板垣佳珠弓

special thanks
木の家だいすきの会、坂田眞美、石屋祥子、田口ヒサ子

器・茶器協力
つみ草　http://www.tumikusa.net/
p.26上、p.30右下、p.30左下、p.31下、p.34下、p.46下、p.50上写真内の下のお皿と上の湯のみ、
p.50左下、p.52下、p.63中央、p.65左、p.67上、p.91中央、p.91下

20世紀ハイツ　http://20century-heights.com/
p.46中央、p.78上

木童　http://www.kodoh.co.jp/
p.15上、p.75下、p.80下

陶林春窯　http://www.syunyo.co.jp/
p.71「日本茶のおいしい淹れ方」の急須と湯のみ、
p.81「抹茶のおいしい点て方」の急須

＊本書に記載のデータは2012年3月現在のものです。
＊本書の作成にあたり、多大なご協力をいただきました和菓子店の皆様、
ほかショップの皆様に心よりお礼申し上げます。

わくわくほっこり和《わ》菓《が》子《し》図《ず》鑑《かん》

二〇一二年　四月二十九日　初版発行
二〇二一年　六月六日　　　四版発行

著者　君《きみ》野《の》倫《りん》子《こ》

発行所　株式会社二見書房
東京都千代田区神田三崎町2-18-11
電話　03（3515）2311〔営業〕
　　　03（3515）2313〔編集〕
振替　00170-4-2639

印刷・製本　図書印刷株式会社

乱丁・落丁本はお取り換えいたします。

ISBN 978-4-576-12057-7
https://www.futami.co.jp